P9-DFM-327

R0301617625

José Vasconcelos

GRANDES MEXICANOS ILUSTRES

VASCONCELOS

Juan Gallardo Muñoz

DASTIN, S.L.

© DASTIN, S.L.
Polígono Industrial Európolis, calle M, 9
28230 Las Rozas - Madrid (España)
Tel: + (34) 916 375 254
Fax: + (34) 916 361 256
e-mail: info@dastin.es
www.dastin.es

Edición Especial para:
**EDICIONES Y DISTRIBUCIONES
PROMO LIBRO, S.A. DE C.V.**

I.S.B.N.: 84-492-0340-6
Depósito legal: M-15.923-2003
Coordinación de la colección: Raquel Gómez

Impreso en España - Printed in Spain

Agradecimiento:
Una vez más, mi sincera gratitud a Inma Miguel,
sin cuya colaboración inestimable hubiera resultado mucho más difícil el trabajo que llevé a
cabo en esta obra.

El Autor

*«... mientras sigamos borrachos de mentiras patrió-
ticas, no asomará en nuestro cielo la esperanza.»*

(«Breve Historia de México»)
José Vasconcelos, 1948

INTRODUCCIÓN

VAMOS a tratar de conocer aquí la vida y obra de un hombre particularmente polifacético y que ha dejado honda huella de su paso no solamente por su país natal, México, sino por los terrenos más amplios y metafísicos de la filosofía. Una filosofía especial, propia, que puede afirmarse que fue creada por él, y así se le considera no sólo en México, sino en todos los países del mundo.

Estamos hablando de José Vasconcelos, que repartió su vida entre la Filosofía, la Historia, la Política y la Literatura, todo ello así, con mayúscula, porque cada materia iba a ser en sus manos profundamente utilizada, al servicio de sus ideas personales, más bien personalísimas, que le llevaron de igual modo a gozar de los favores del poder como de la enemistad radical del mismo, según las circunstancias.

Y es que José Vasconcelos, aparte su enorme capacidad intelectual y humana, no dudó nunca en ir contra corriente cuando algo chocaba de forma frontal con sus convicciones. No era hombre fácil de doblegar, y cuantos lo intentaron fracasaron en ello de una manera rotunda.

Mantuvo tesis totalmente rechazadas no sólo por los políticos de su tiempo, sino incluso por instituciones y hasta por la propia sociedad mexicana del momento en que le tocó vivir, y que no fue

7

precisamente fácil en ningún sentido, y menos en el político, por supuesto.

Gracias a su mecenazgo pudieron salir adelante grandes genios artísticos de su país, rechazados por motivaciones sociales o políticas de la época, como es el caso, sin ir más lejos, de los grandes muralistas mexicanos, a los que protegió y lanzó a la fama y al reconocimiento del mundo entero cuando tuvo oportunidad de ello, gracias a un cargo en concreto. A él le deberían mucho, en su día, tanto Diego Rivera como Orozco, Siquieros y Charlot, pongamos por caso.

Álvaro Obregón fue el hombre del mundo político mexicano que más influyó en que Vasconcelos tuviera esa oportunidad única de velar por el arte y la cultura de su país, y Obregón fue el hombre en quien, a su vez, más confió Vasconcelos, que fue siempre un hombre adicto a él del mismo modo que de inmediato iba a chocar con otro presidente de la nación, porque sus ideas distaban años-luz de las de aquél: Plutarco Elías Calles, a quien Vasconcelos consideró siempre un político corrupto y nefasto para su país, con una visión de las cosas totalmente opuestas a la de Obregón.

Todos esos avatares iban a ser los que influyeran en una carrera zigzagueante, por la que pasaría de político a historiador, de historiador a filósofo o de filósofo a ensayista y a crítico.

Pero lo que iba arraigando en él, desde muy joven, era la Filosofía, a la que acabaría entregándose de lleno, pese a que una simple revisión de su obra literaria nos muestra también su fecundidad en ese terreno. En su obra es tan frecuente hallar libros sobre historia como crítica literaria, cuentos, relatos e incluso dramas teatrales.

Pero su literatura, como su propia filosofía personal, distan mucho de ser fáciles o al alcance de cualquiera. Hay que conocer muy bien a Vasconcelos o estar muy introducido en su obra, para llegar a comprenderle plenamente. Otra cosa, sin duda, será compartir o no sus principios filosóficos, que han tenido siempre tantos detractores como seguidores entusiastas.

Pero a fin de cuentas, se le considera como el creador de la llamada «Filosofía estética», como veremos en su momento, analizando más a fondo su pensamiento, que no es nada sencillo ni al alcance de todos.

Tal vez por ello, Diego Rivera fue no de los pocos que le entendieron desde un principio, y hasta supiera plasmar en uno de sus impresionantes murales mucha de la carga filosófica de Vasconcelos, no se sabe bien si por propia convicción o para satisfacer la propia doctrina filosófica del que fuera uno de los primeros protectores y mecenas.

Sea como sea, y guste o no guste a unos o a otros, no cabe la más leve duda de que la polifacética figura de José Vasconcelos es una de las más grandes e importantes que México ha dado al mundo, y no resulta nada sorprendente que incluso hoy en día, en el campo de la Filosofía, se sigan discutiendo sus tesis y defendiendo o atacando sus personalísimas teorías sobre un modo concreto de pensar.

Profundamente creyente, no dudó tampoco, llegado el momento, en oponerse a las persecuciones religiosas y al anticlericalismo de un determinado momento de la historia de su país, aunque ello irritara a los gobernantes, hasta el punto de tenerse que exiliar. En realidad, Vasconcelos iba a ser, especialmente en los últimos años de su vida, el portavoz del conservadurismo católico en su país, que él mantuvo con todas sus consecuencias.

Era, por tanto, hombre de firmes convicciones, difícil de sugestionar o impresionar, a menos que creyera en aquello que estaba haciendo, en cuyo caso nada ni nadie podía apartarle del camino emprendido. Durante su vida iba a ser contemporáneo de presidentes muy diferentes entre sí, y cuya trayectoria política no siempre iba a estar de acuerdo con sus principios. Aparte de Álvaro Obregón, su gran amigo y su ídolo político, iba a conocer, con muy diferente fortuna, a Plutarco Elías Calles, a Lázaro Cárdenas, e incluso durante su juventud o su infancia a gobernantes como Porfirio Díaz, Francisco Indalecio Madero, Victoriano Huerta o Venustiano Carranza, personaje este último sobre cuya muerte escribiría un libro en 1920, así como sobre su anterior caída política.

Seguir la vida de un hombre como José Vasconcelos es relativamente sencillo, su biografía no ofrece dificultades especiales. Otra cosa es tratar de penetrar en su interior, de ver sus pensamientos y comprenderlos.

Aunque como ensayista se ha dicho de él que se nota en sus escritos una clara influencia de otros como Schopenhauer o Bergson, en su pensamiento filosófico no solamente no existe ninguna influencia ajena, sino que él mismo rompió con muchos principios filosóficos para crear su propia filosofía.

Vamos a intentar, por tanto, tratar de analizar su labor en los diversos campos en que brilló con luz propia, sin olvidarnos de su faceta estrictamente humana, sin la cual, tal vez, no se comprendería bien a Vasconcelos, como en realidad tampoco podríamos comprender a nadie.

Otra de sus teorías iba a chocar muchas veces con los estamentos oficiales e incluso con las personalidades de su país que defendían a ultranza los valores étnicos de México, y cargaban contra toda influencia extranjera en su historia y en su raza.

Vasconcelos, por contra, era un ardiente defensor del mestizaje, y afirmaba que precisamente ese mestizaje era el que enriquecía a México y le otorgaba una forma de cultura diversa y mejor. Aseguraba que de la mezcla de la raza india autóctona y de aquellos que llegaron a América para conquistarla, se había conseguido algo que no era lo que se consideraba nefasto o perjudicial, sino todo lo contrario, algo enriquecedor y fortalecedor de muchas virtudes de la raza. El mestizaje indohispano tuvo en José Vasconcelos, en todo momento, a un ardiente defensor, como hemos dicho.

Éste es sólo un ejemplo de sus postulados nunca compartidos por la mayoría, cosa que a él parecía tenerle sin cuidado, convencido como estaba de tener la razón, sustentándola en tesis rotundas que demostraban lo acertado de sus afirmaciones.

No era partidario en absoluto de que la mente fuera la razón de ser de los sentimientos del hombre, sino que para él, según su filosofía, es la sensibilidad humana la que recibe esos estímulos a través de la adecuada conjunción armónica y estética de las cosas, como sucede, sin ir más lejos, con cualquier manifestación artística, ya sea música o pintura.

En el fondo, Vasconcelos había adoptado la creencia de Pitágoras de que la clave del universo reside en secretas armonías musicales, por lo que no es de extrañar que la astucia de Diego Rivera, cuando fue elegido por Vasconcelos para hacer uno de sus primeros murales, halagara a su mecenas haciendo una clara alusión a la música, en forma alegórica, y formando parte de un fresco donde, también como homenaje a su protector y sus conocidas tesis, el pintor hacía un recorrido completo por la historia racial de México, «a través de figuras que representaban a todos los que han entrado en el torrente sanguíneo mexicano —según palabras del propio Rivera—, desde el indio autóctono hasta el mestizo actual, sin olvidarse de los españoles».

Pero la reacción de Vasconcelos ante el cuadro nos da una idea muy concreta de su modo de ser. Contemplando el mural hecho por Rivera, no se dejó impresionar, e incluso criticó que no era «lo bastante mexicano», pese a todo. No se sabe si hablaba así porque se daba cuenta de que el autor había pretendido halagarle, apoyando sus teorías y reflejándolas en el fresco, o porque en realidad fuera aún más exigente en la representación de los valores propios del mexicanismo histórico sobrevenido por los cruces raciales que habían creado ese mestizaje.

Como sea, está claro que José Vasconcelos fue un hombre muy apegado a su propio criterio sobre las cosas, ya fueran históricas, étnicas, políticas o religiosas, y no hablemos ya de las puramente filosóficas, que quedan reflejadas con toda exactitud en su obra sobre esa materia.

Pero aparte de todo esto que mencionamos aquí de pasada, para hacer un apresurado retrato de él, ¿quién fue realmente y cómo fue José Vasconcelos?

Vamos a tratar de explicarlo a través de estas páginas. Esperamos conseguirlo, aunque en ocasiones no va a ser nada fácil. Ni para el autor ni para el lector.

PRIMERA PARTE
El Político

CAPÍTULO PRIMERO

— PRIMEROS PASOS —

NACIDO en Oaxaca de Suárez, según algunos historiadores, en 27 de febrero de 1882, fecha que otros fijan un año antes, en 1881, sin que exista convicción firme alguna sobre quién de ellos tiene razón y quién no.

José Vasconcelos vino al mundo en esa localidad mexicana, capital del estado de Oaxaca, una ciudad que hoy tiene casi ciento cincuenta mil habitantes y es un importante centro comercial, industrial y turístico, con una hermosa catedral renacentista del siglo XVI.

Curiosamente, era la misma ciudad en que nació otro importante personaje de la historia de México, que con el tiempo sería militar y político destacado de su país, y ocupó por más tiempo la presidencia de la nación, Porfirio Díaz.

Decimos curiosamente, porque nadie más alejado de Porfirio Díaz y de su trayectoria en la vida, que José Vasconcelos, que por cierto se contaría luego entre los adversarios más importantes del creador del «porfirismo», como se verá en su momento.

Son las ironías que tiene la vida, coincidencias que se dan, y que no dejan de constituir en su momento una anécdota y, en cierto modo, una paradoja. Pero nadie elige el lugar donde nace, y menos aún donde nacen los demás.

A Vasconcelos suponemos que nunca debió agradarle ser paisano precisamente de un hombre como Porfirio Díaz, pero así son las cosas, y todo factor común a ambos terminaba justamente ahí, en su ciudad natal. Las trayectorias de ambos hombres, aparte su significado en la historia y el papel de cada uno en su Máxico de nacimiento, iban a ser siempre diametralmente opuestas, y no hablemos ya de lo relativo al pensamiento de cada cual.

Pero si destacado iba a ser Porfirio Díaz, no se puede dudar que el otro oaxaqueño, José Vasconcelos, estaba destinado a ser también uno de los ciudadanos más notables de aquel estado rico en agricultura, ganadería e incluso importantísimos yacimientos minerales.

Los motivos, también distintos, como no podía ser por menos en dos personalidades tan contrapuestas en tantas y tantas cosas. Pero México y su historia iban a tener en ambos nombres unas etapas muy concretas de su devenir, donde, en todo caso, el hecho de que en ambos existiera una etapa de gran significado político —infinitamente mayor ésta, por supuesto, en Porfirio Díaz— fue uno de los escasos puntos en común que pudo haber en la personalidad de los dos oaxaqueños ilustres.

Volviendo a José Vasconcelos, que es a quien aquí vamos a seguir a lo largo de su existencia, digamos de él que nació en una familia acomodada, lo que le permitió cursar estudios que a otros mexicanos de su época les era prácticamente imposible ni siquiera soñar con ellos.

Aunque más tarde cursaría sus estudios de derecho en la Universidad de México, inicialmente empezó a estudiar fuera de su país, concretamente en los Estados Unidos, en una escuela de Eagle Pass, en Texas.

Ya desde muy niño, se advertían en él especiales condiciones no solamente para el estudio de las materias habituales, sino una agudeza de pensamiento y una tendencia clara a que su mente comprendiera lo mejor posible toda asignatura que la fuera asignada. Era, por tanto, un alumno modélico en ese sentido.

Todo eso no significa que dejara de ser, como niño que era, el muchacho aficionado a los juegos y a compartir con sus compañeros las horas de recreo lo más alegremente posible. Era, pues, en ese sentido, un niño como otro cualquiera, que en nada le diferenciaba de los demás, aunque el nivel de sus notas fuera siempre muy alto y gozara de las preferencias de sus profesores por esa misma dedicación al estudio que formaba parte de su modo de ser.

En la época en que nació Vasconcelos en México, andaban las cosas bastante revueltas, solamente diez años después de la muerte de Benito Juárez, y quince después del fusilamiento del emperador Maximiliano. Como se comprenderá no eran tiempos precisamente tranquilos para el país, y por esos años gobernaba en México Manuel González, aunque sólo como un paréntesis en el larguísimo mandato de Porfirio Díaz, que solamente dos años después de nacer Vasconcelos volvía al sillón presidencial, para no moverse de él hasta 1911.

Puede decirse, por tanto, que una gran parte de los años iniciales de Vasconcelos estuvieron profundamente marcados por el «porfirato», y ello iba a tener una radical influencia en la vida y en el pensamiento y obra del joven oaxaqueño.

Pero, naturalmente, su infancia aún no era tiempo para definir posturas políticas o ideológicas, y las ocupaciones y preocupaciones habituales de José Vasconcelos niño, eran, como la de cualquiera otro de su edad, estudiar y jugar, divertirse y aprender, dedicando su tiempo a cada cosa, sin ninguna otra preocupación.

Su estancia inicial en Texas, como estudiante primario, no le desnaturalizaron lo más mínimo, y aunque adaptado a la enseñanza de los Estados Unidos, siguió siendo siempre el niño mexicano que realmente era. Aparte que Texas era una región donde aún predominaba más la influencia mexicana que la norteamericana, por razones obvias.

Aquel período de estudios fuera de su país no duró demasiado tiempo, ya que posteriormente los iba a continuar en el Instituto Científico de Toluca, para más tarde pasar al Instituto de Campeche, todo ello como paso inicial hasta que le fuera posible ingresar, por edad y por preparación adecuada, en la Escuela Nacional Preparatoria, que tantos alumnos ilustres diera a México.

Poco a poco, por tanto, se iba formando aquel muchacho serio, pero inquieto, estudioso pero extravertido, amigo de sus amigos y estimado por sus profesores. Las travesura propias de su edad nunca fueron demasiado significativas en su vida escolar, por lo que puede decirse que en todo momento fue un alumno ejemplar y nada conflictivo, a juicio de sus profesores y maestros.

Sus biografías no se extienden demasiado en ese período de su vida, precisamente por estar exento de sucesos importantes que pudieran relacionarse con él o con su familia.

Otra cosa sería cuando alcanzara ya la juventud, pasada incluso la adolescencia, y su vida sufriera una transformación radical, a causa de los acontecimientos de aquella etapa particularmente violenta y complicada de su país.

Pero no adelantemos acontecimientos y sigamos la trayectoria estudiantil de José Vasconcelos, que le iba a llevar a cursar los estudios preparatorios en la Escuela Nacional, todo ello durante finales del siglo XIX y, por tanto, en los años de paz y tranquilidad —aparentes, al menos, aunque subterráneamente las cosas fueran muy distintas— de la dictadura impuesta por el régimen personalista y represivo de Porfirio Díaz, el hombre que se nombrara a sí mismo presidente vitalicio de México, anulando todo proceso de elección o de reelección, para seguir en la silla presidencial por decreto, sin opositores políticos de ninguna clase.

Era por entonces cuando José Vasconcelos acudió a la Escuela Nacional Preparatoria y donde, seguramente, empezarían a despertar en él los primeros síntomas de rebeldía y de insumisión ante muchas de las cosas que le rodeaban, aunque no por ello se dejara arrastrar a ninguna clase de manifestación o protesta —por otra parte harto difícil en los momentos más duros del «porfirismo»—, y centrase todo su interés en sus estudios.

Pero tengamos en cuenta que por entonces José Vasconcelos andaba en esa edad en que empiezan a surgir los primeros conatos de inconformismo en los jóvenes —andaba por los quince a dieciocho años, aproximadamente—, y no tardando mucho iba a empezar a manifestar sus inquietudes de forma muy significativa y concreta, lo que nos habla de ideas y decisiones que no suelen brotar como por ensalmo, sino que han ido siendo maduradas en el interior de uno mismo, a partir de mucho tiempo antes de hacerse realidad.

De todos modos, terminó su preparación en la Escuela Nacional, con notas excelentes como no podía ser por menos, y consideró llegado el momento de iniciar el tramo final de su carrera, para lo que ingresó en la Escuela Nacional de Jurisprudencia de México, centro en el que iba a culminar su brillante trayectoria estudiantil, doctorándose en Derecho tras completar con gran eficacia sus estudios de abogado.

Para entonces, las cosas sí empezaban a estar bastante feas en el aspecto político y social del país, pese a las grandes mejoras económicas, comerciales e industriales que Porfirio Díaz y su régimen presidencialista otorgaran a México, modernizando ampliamente su capacidad como nación moderna y dotándola de ferrocarriles, empresas e industrias de primer orden, así como del reconocimiento de muchos países extranjeros a su modernidad y desarrollo.

Ésa había sido, evidentemente, la gran labor del «porfirismo» en todos aquellos años de paz casi obligatoria y de férrea disciplina política, pero todo ello a cambio de grandes desigualdades sociales y económicas, de las que se resentían, y de qué manera, las clase más desfavorecidas del país. Todo eso no era sino el caldo de cultivo de algo que estaba por venir, que se presentía en el ambiente y que, aun siguiendo Porfirio en el poder, se intuía muy cercano, así como sumamente peligroso.

Terminados sus estudios y ya con la carrera de Derecho completamente brillante, José Vasconcelos, de forma inevitable, fue inclinando sus tendencias en un determinado sentido, que poco o nada tenía que ver con la política reinante en México por obra y gracia del general Díaz y de su gabinete, fiel a su mandatario, puesto que casi siempre era elegido entre sus más afines y leales colaboradores, no sólo en el gobierno nacional, sino también en los altos cargos de los demás estados y municipios de México.

Por ley natural, José Vasconcelos era un hombre amante de la libertad, como lo fueron tantos otros de su tiempo: Diego Rivera, Octavio Paz, Orozco, Siquieros, etc. No le gustaba el «porfirato», pero tampoco se sentía —al menos de momento— un revolucionario en el estricto sentido de la palabra. Digamos, en todo caso, que era un descontento más, un joven incómodo con aquella situación, como tantos otros jóvenes del país.

En el interior, inevitablemente, iba germinando esa semilla del descontento hasta tal punto que pronto se iban a manifestar sus verdaderas ideas sin tapujos ni cortapisas de ningún género, empezando a marcar su camino, tan igual al de muchos otros de su generación y de alguna otra anterior e incluso posterior.

Ahora sí. Ahora eran momentos graves, decisivos para el país. Empezaban a surgir focos de rebeldía por vez primera durante el largo período de paz impuesta por el régimen que coartaba libertades, censuraba la prensa escrita y castigaba con dureza implacable a todo opositor al sistema de gobierno impuesto por Díaz.

Había empezado el siglo XX y, aunque todo pareciera igual y continuara el ritmo de vida aparentemente idéntico en todo México a como fuera hasta ese momento, nada más lejos de la realidad. Las cosas, si bien lentamente —demasiado lentamente, para gusto de los impacientes—, empezaban a cambiar.

José Vasconcelos ingresaba en 1907 en la Escuela de Jurisprudencia de la Ciudad de México, al mismo tiempo que era nombrado presidente del Ateneo de la Juventud. Este Ateneo, sólo un año más tarde, empezó a definirse como un verdadero centro opositor de Porfirio Díaz y su régimen, para que en 1910 se caracterizara así mismo por su oposición frontal al positivismo y a todo lo que significaba la estructura política de Porfirio Díaz y su camarilla, logrando impulsar una fuerte corriente de renovación ideológica y política, así como de crítica de muchas cosas tenidas hasta entonces por intocables.

Pero antes de eso, ya en 1909, José Vasconcelos empezaba a manifestar sus ideas públicamente, y así en ese año iba a adherirse al llamado Partido Antirreeleccionista, que se oponía a las constantes reelecciones automáticas de Porfirio Díaz, y que iban perpetuándole en el poder.

Comenzaba a definirse el hombre que iba a ser Vasconcelos muy en breve, ya que parecía evidente que sus simpatías estaban con los que no aceptaban a Díaz, pero también con los que empezaban a manifestar en muchos puntos del país un nuevo concepto revolucionario que terminara con las injusticias, que diera fin a los privilegios otorgados a la alta burguesía, en detrimento de las capas sociales más bajas del país, y que llevara la justicia al proletariado mexicano y, sobre todo, al explotado y denigrado campesinado del país, siempre al gran olvidado de todos los gobernantes.

José Vasconcelos empezaba a formar parte de la vanguardia intelectual mexicana de inicios de siglo, y su nombre aparecería con ese motivo junto a autores de esa misma intelectualidad, como era el caso de Antonio Caso o Alfonso Reyes.

Se empezaba a oír hablar de un revolucionario, Francisco Indalecio Madero, el mayor y más poderoso opositor de Porfirio Díaz en 1910 a sus planes de nueva reelección. Madero, se decía, había elegido como aliado suyo a un hombre carismático del norte del país, un tal Doroteo Arango, más conocido como «Pancho Villa», guerrillero mestizo que previamente había estado al margen de la ley, perseguido por la justicia por matar al violador de su hermana en 1894, un rico hacendado sobre quien no dudó en disparar para vengar el honor de su hermana, teniendo que lanzarse luego a la sierra, acosado y perseguido, pero nunca capturado.

Aquel hombre tenía fama del típico «bandido generoso» que atacaba a los ricos para repartir luego dinero entre los pobres. Pero, leyendas aparte, Pancho Villa parecía gozar de la fidelidad de muchos mexicanos norteños, y parecía ser así mismo el hombre ideal para apoyar, con las armas en la mano, las ideas revolucionarias de Francisco Indalecio Madero, el gran enemigo de Porfirio Díaz y de la dictadura.

Empezaban a soplar vientos de guerra sobre México, y en aquel año de 1909, vísperas ya de la Revolución, José Vasconcelos no dudó en apoyar a Madero, uniéndose a él en sus ideas revolucionarias, y decantándose así por las libertades básicas del ser humano, de las que él era defensor.

Adherido así al llamado Partido Maderista, comienza su labor contra la dictadura de Díaz; de las ideas propiamente dichas no iba a tardar en pasar a los hechos, puesto que, apenas estalló la Revolución, Vasconcelos no dudó un solo momento en empuñar las armas y ser un revolucionario más junto a Madero y en contra de la situación dictatorial del país.

Simultáneamente a estos hechos, en el sur de México surgía la llamada Junta de Defensa de las tierras de Ayala, con el objetivo de conseguir el ansiado reparto de las tierras entre los campesinos, en donde un joven llamado Emiliano Zapata era capaz de oponerse el gobernador local y, en 1910, se unía también a la Revolución, junto a Madero y en contra todos del presidente Díaz y su dictadura.

México ardía en guerra intestina, y José Vasconcelos no podía en modo alguno ser ajeno a ese movimiento general de levantamiento contra la injusticia. El abogado, capaz de defender las causas justas, se sentía también capaz de empuñar las armas, llegado el caso, y defender esas mismas causas como un revolucionario más.

Las cartas estaban echadas, por tanto. José Vasconcelos había elegido bando, y eso no tenía ya marcha atrás. Su nombre iba ya unido de forma indeleble al grito de rebeldía de todo México, como el de tantos otros que luchaban por aquel ideal.

Porfirio Díaz, sintiéndose derrotado ante la revuelta popular, tal vez pensó que ésta terminaría con su dimisión inmediata. Así, tras abandonar la silla presidencial, tomaría un barco rumbo a Europa, adonde se exiliaría hasta morir.

Parecía la victoria definitiva de la Revolución, cuyo inicio real había sido bajo la consigna de acabar con el «porfirato» de una vez por todas, y eso ya se había conseguido.

Las cosas no iban a ser tan sencillas, pero en lo político México parecía cambiar radicalmente. Así, tras un mandato intermedio de Francisco León de la Barra, sería Francisco Indalecio Madero, el artífice de la Revolución, quien subiría al poder en 1911. José Vasconcelos, fiel seguidor de Madero hasta ese momento, fue nombrado por éste director de la Escuela Nacional Preparatoria, puesto que Madero le consideraba uno de los hombres más capacitados de las nuevas generaciones para ostentar un cargo cultural de primer orden.

Lo peor fue que Madero no supo estar a la altura de las circunstancias cuando más lo necesitaba el país, y se aferró a los viejos métodos políticos, con lo que los ideales revolucionarios se consideraron traicionados.

De tal modo que Emiliano Zapata no tardó en sublevarse contra él, volviendo a la guerrilla revolucionaria, al ver que Madero incumplía los acuerdos y no llevaba a cabo las reformas sociales que el país había esperado de él. Luego, sería otro político, Pascual Orozco, antes maderista acérrimo, quien también se rebelaría contra lo que consideraba traición de Madero, y en 1913 éste se ve derrocado y traicionado por el general Victoriano Huerta, ex aliado de Madero también, quien no solamente le derribó del poder sino que, aviesamente, llevó su traición hasta el extremo de ordenar el asesinato de Madero, en 1913.

De ese modo, Victoriano Huerta asumía el mando del país y, como militar que era, impuso de nuevo una férrea disciplina que haría casi blanda la de Porfirio Díaz, y que le hizo ganar en todo el país merecida fama de siniestro y despiadado. El mandato de Huerta no podía poner fin a la Revolución, sino todo lo contrario. Sus métodos brutales de represión, la utilización de la fuerza militar contra los campesinos, llevó a éstos a una revuelta social absoluta, y se incrementa la virulencia de las fuerzas rebeldes, pese a todas las represiones llevadas a cabo por las tropas federales.

José Vasconcelos no podía quedar al margen de toda esa convulsa situación que vivía el país. Como hombre leal que fuera de Madero, de inmediato se le persiguió por parte del general Huerta, y se vio forzado al exilio, abandonando el país para no ser fusilado por el nuevo dictador.

Ahora sus simpatías se inclinaban por hombres como Venustiano Carranza y Álvaro Obregón, que luchaban junto a las fuerzas revolucionarias del país, con el objetivo de terminar con la dictadura implacable de Huerta. Apoyó con todas sus fuerzas a ambos líderes rebeldes, durante el corto tiempo —afortunadamente— que duró el mandato de Huerta, ya que éste, ante el triunfo arrollador de Carranza, tuvo que abandonar el poder, aunque Huerta, pese a ello, también gozó de la gran fortuna de no morir asesinado, como muchos otros gobernantes de su tiempo, empezando por Madero, a quien él mismo había hecho matar a sangre fría.

Caído Huerta, Venustiano Carranza se hizo con el poder en México, aunque hubo dos cortos períodos intermedios que ocuparon otros gobernantes como Francisco Carvajal, Eulalio Gutiérrez o Roque González Garza.

José Vasconcelos, durante esos períodos agitados de la política gubernativa mexicana, pasó por diversos trances muy diferentes entre sí, inevitablemente sacudido por la propia inestabilidad del país.

Así, con Venustiano Carranza llegó a ser colaborador destacado, y el presidente le designaría como agente confidencial suyo ante

los gobiernos de Inglaterra y Francia, sobre todo durante el período en que Carranza necesitó de él para impedir, sobre todo, que
naciones como aquellas pudieran llegar a otorgar cualquier tipo de
apoyo económico a Victoriano Huerta, mientras éste fue presidente-
dictador del país.

Pero no se limitó a eso la labor de Vasconcelos en favor de
Carranza, ya que éste, confiando plenamente en el joven abogado,
y más en sus probadas dotes diplomáticas en el extranjero, le en-
cargó algunas otras misiones importantes en países como Canadá o
los Estados Unidos, tarea para la que Vasconcelos, tanto por sus estudios como por su conocimiento de la lengua inglesa, estaba perfectamente preparado.

Se le nombró nuevamente director de la Escuela Nacional
Preparatoria, y en esa tarea volcó todo su saber y su entusiasmo, para
crear nuevas generaciones de mexicanos cultos y bien preparados, poniendo al servicio de su labor incluso métodos poco ortodoxos pero
muy eficaces, que aumentaban el número de personas con una preparación cultural muy superior a la que hasta entonces pudieran recibir.

José Vasconcelos era siempre un hombre preocupado, por encima de todo, por el nivel cultural del hombre, que consideraba imprescindible para que el país tuviera cada vez más elevado nivel intelectual, social e incluso económico, y no hablemos ya de lo político.
Bien sabía él que resultaban más fáciles de manejar las mesas incul-
tas y analfabetas que un pueblo bien preparado y con la mente despierta y debidamente cultivada. La ignorancia era el mejor ambiente
para que prosperara la injusticia, y eso bien lo sabía José Vasconcelos,
de ahí su interés por dotar a las nuevas generaciones de más amplias
oportunidades gracias a la educación y la cultura.

Durante el tiempo que estuvo dedicado a esta encomiable labor
con todo el entusiasmo de que fue capaz, que era mucho, no pensó demasiado en política. Hasta que, de repente, un día empezó a
darse cuenta de que tampoco con Venustiano Carranza las cosas acababan de ir muy bien, y se permitió entonces verter algunas críticas
contra quien era su gobernante y protector.

Grave error el de José Vasconcelos en este caso.

Capítulo II

E FECTIVAMENTE, y como había sucedido ya antes con Madero, tampoco el nuevo presidente de México, en este caso Venustiano Carranza, había sido fiel a los principios que él mismo propugnara desde su posición de revolucionario, cuando se uniera a Pancho Villa, tras el asesinato de Francisco Indalecio Madero.

Una vez más, el nuevo gobernante hacía caso omiso de su tan cacareada condición de rebeldía, en defensa de los derechos de los oprimidos, y ejercía el poder olvidándose de aquellos a quienes más había prometido defender y proteger: los campesinos y los obreros.

Derrotado y dimitido el tenebroso general Huerta, era el momento de demostrar su intención de ser fiel a cuanto prometiera. Pero por contra, se ganó en ese mismo momento la enemistad de su más fiel aliado, Pancho Villa, así como la decidida de Emiliano Zapata. Ambos revolucionarios vieron en el comportamiento político de Carranza los mismos defectos y parecidas ausencias de virtudes que en Díaz, Madero o Huerta, cada cual en su estilo.

Cierto que en el haber de Carranza es justo apuntar su labor en el Congreso de Querétaro, del que saldría la Constitución de 1917, todavía vigente en México. Pero aunque fiel a la letra en casi todo, distó mucho de mantener igual fidelidad al espíritu constitucional recién surgido, y frenó de forma tan considerable las reformas agrarias, que no pudo sino despertar las iras de sus más fieles aliados hasta entonces, Zapata en el sur y Villa en el norte.

Con semejantes adversarios enfrentados a él, resultaba natural que la Revolución, en vez de darse por terminada, no hiciera sino volver a empezar, recrudecida, si cabe, con nuevas humillaciones y decepciones que el pueblo llano difícilmente iba a perdonar y menos aún olvidar.

Así, no es de extrañar que vencido ya Huerta, en la Convención de Aguascalientes, Villa se separara definitivamente de su antiguo aliado, Carranza, y continuara la lucha de acuerdo con Zapata, aunque cada uno por su lado y no demasiado amistosos el uno con el otro, para desgracia de esa misma Revolución.

También José Vasconcelos formaría parte de la mencionada Convención Revolucionaria de Aguascalientes, en 1914, llegando a formar parte del gabinete de un efímero Gobierno Convencionista encabezado por el general Eulalio Gutiérrez.

Pero sus críticas contra Venustiano Carranza, formuladas pese a su anterior lealtad el presidente, y ante el estancamiento de la situación político-social del país, le iban a costar muy caras. De obtener los favores del presidente y gozar de su confianza, a pasar a convertirse en uno de sus enemigos, no había más que un paso, por extraño que pudiera parecer, y ese paso era, simplemente, mostrarse en desacuerdo con la política presidencial y censurar a Carranza su comportamiento al frente de la nación en cuestiones tan candentes como la justicia social y la preocupación por los eternamente oprimidos.

El ex revolucionario Carranza era, como tantos otros, variable en sus convicciones. Cuando estaba frente al poder establecido, luchando por algo, parecía tener unos criterios muy concretos. Cuando era él quien alcanzaba el poder que había combatido, se volvía acomodaticio, creía ver las cosas desde una perspectiva muy distinta y copiaba lo peor de sus antecesores.

Ése fue su caso, y José Vasconcelos, sin pelos en la lengua, se atrevió a criticarlo en público, haciendo ver su descontento con la actitud del presidente.

Eso le granjeó las iras de éste, quien de inmediato, en un arranque típico de autoritarismo —que no hacía sino presagiar lo que ocurriría después durante su mandato entre 1915 y 1920—, ordenó que Vasconcelos fuera arrestado.

Enterado a tiempo de ello, gracias a amigos suyos dentro de la policía estatal, José Vasconcelos tuvo tiempo de escapar de territorio mexicano y refugiarse en los Estados Unidos, nuevamente conducido a un exilio que poco antes no hubiera sospechado ni remotamente.

He aquí, pues, que de repente un hombre imprescindible para Carranza, como era Vasconcelos, en especial de cara a la difusión cultural en su país, se veía perseguido, en la obligación de emigrar de su propia patria por motivos puramente políticos, y por obstinación de un hombre a quien previamente había defendido y apoyado con todas sus fuerzas, siempre por el bien de México.

Claro que él no era el único que pensaba así en el país, ya que Venustiano Carranza y su gobierno, pese a la nueva Constitución, se enfrentaban a una resistencia cada vez más fuerte por parte del pueblo mexicano, que una vez más se veía profundamente defraudado por sus gobernantes, como tantas veces sucediera en el pasado.

No es que nadie echara de menos el período de calma y progreso de Porfirio Díaz, o sus grandes mejoras urbanas, industriales y comerciales, porque todo eso había ido unido a una forma de gobernar personalista, autocrática y hasta tiránica en ocasiones. Pero al menos en aquellos días, pensaban algunos, había paz.

Ahora, tras las intentonas fallidas de Madero, de Huerta, llegaba el presunto libertador de las ideas democráticas y la apertura, de las mejoras sociales y económicas para las clases inferiores, y de nuevo la frustración sacudía a todos los desfavorecidos, porque Carranza demostraba ser igual en muchas cosas a sus antecesores, y en otras incluso peor.

Por ello no es de extrañar que un hombre de la firmeza de carácter y de la integridad moral de José Vasconcelos, no dudara en abandonar su barco abiertamente, aunque ello le costara el exilio y su retiro obligatorio a los Estados Unidos, donde se refugiaría durante un tiempo de las iras de su ex protector y aliado. Interiormente, Vasconcelos se sentía muy frustrado por muchas cosas. Él, que había querido confiar en alguien para que su país y su gente salieran del marasmo social y cultural en que estaban inmersos, se daba cuenta ahora de que se había equivocado, como tantos otros, y que su líder y amigo no era el que él había imaginado.

De dirigir la Escuela Nacional Preparatoria, donde tanto había por hacer, a verse reducido a un exiliado político en territorio norteamericano, había un verdadero abismo, pero José Vasconcelos tenía su propio criterio sobre las cosas y sabía que algunas de éstas no tenían un futuro prometedor, ni mucho menos.

Del mismo modo que creía saber que la Revolución, ahora seguida muy esporádica e irregularmente por Pancho Villa y su gente en los estados del norte del país, y más ardiente y fervorosamente por Emiliano Zapata en el sur, especialmente en su estado de Morelos, estaba finalmente condenada al fracaso, Vasconcelos estaba convencido de que tampoco las tesis de Carranza saldrían triunfantes en el futuro, y sus días como político de altura estaban seguramente contados.

Vasconcelos tenía una clara visión de las cosas, evidentemente, porque por entonces tuvieron lugar acontecimientos cruciales en la azarosa historia del México de aquellos turbulentos días.

En abril de 1919, Emiliano Zapata era víctima de una criminal conspiración, auspiciada personalmente por un Venustiano Carranza vengativo y poco o nada piadoso, y encontraba una muerte heroica, casi legendaria, pero muerte al fin y al cabo, en una finca de Cuernavaca, a manos de soldados enviados por Carranza con la misión de acabar con el gran caudillo revolucionario del sur.

No cabía duda de que era una victoria decisiva sobre la Revolución, descabezada de su líder más carismático, pero Vasconcelos supo que, al mismo tiempo, con esa cobarde acción, Carranza sellaba su propio destino, que no iba a ser mucho mejor que el de su víctima de tan ruin emboscada.

Una vez más, José Vasconcelos acertó en sus pronósticos. Carranza, que se presentaba triunfador ante las imágenes que mostraban a un Zapata muerto, exhibido ante el pueblo de México como un trofeo victorioso para él, no tardó en seguir los pasos de su víctima, pero con mucha menos gloria que éste.

En 1920, sólo un año después de morir Emiliano Zapata, su verdugo real, el cerebro de la trama para asesinarle, Venustiano Carranza, era depuesto de su cargo de presidente de la nación, y en ese mismo año era igualmente asesinado, no se sabe por quién, en Tlaxcalantongo, Puebla.

Durante un corto paréntesis, le sustituía en el poder Adolfo de la Huerta, pero las elecciones iban a dar el triunfo a un viejo amigo de José Vasconcelos, el general Álvaro Obregón, otro revolucionario, camarada de Carranza en los tiempos de lucha, pero que después se distanciaría del recién asesinado presidente, por motivos ideológicos. En realidad, Obregón había sido otro de los disidentes de la política llevada a cabo por Carranza durante su mandato en la presidencia de la nación.

Con Obregón en el poder, las cosas volvían a cambiar de signo, y muy favorablemente por cierto, para Vasconcelos, con quien compartía no solamente sus ideales revolucionarios, sino su inquietud por el desarrollo cultural del pueblo mexicano y por una serie de reformas absolutamente imprescindibles en la educación popular.

Así, en 1920, José Vasconcelos regresaba a su tierra, terminado el obligado exilio en los Estados Unidos, reclamado urgentemente por Obregón, que necesitaba de sus servicios lo antes posible. Volvió el exiliado por tanto a su país, dispuesto a serle útil a su amigo Obregón en todo cuanto éste dispusiera relacionado con las actividades que a él le eran inherentes.

Lo primero que hizo Álvaro Obregón, tras estrechar calurosamente la mano de Vasconcelos, fe encomendarle la que iba a ser, de momento, su tarea primordial al frente de las nuevas directrices culturales de su país: la Universidad.

Ya antes, aparte su período como secretario de Instrucción Pública y Bellas Artes, había tenido una cierta experiencia con esas tareas ejerciendo el cargo de secretario de Educación Pública, y en los inicios de 1920, el presidente interino, Adolfo de la Huerta, le dio posesión como jefe del Departamento Universitario y de Bellas Artes.

Por tanto, ser nombrado por Álvaro Obregón rector de la Universidad Nacional no hizo sino completar, en cierto modo, la trayectoria de José Vasconcelos como educador. Y a fe que lo hizo como nadie lo había hecho hasta entonces, demostrando fehacientemente cuáles eran sus métodos, absolutamente revolucionarios también, como lo habían sido siempre sus ideas en diversos frentes.

Creó entonces la llamada Secretaría de Educación Pública, que hasta entonces no era tal sino en el nombre, y pudo llevar a cabo la labor más gigantesca que jamás se ha llevado a cabo en México a lo largo de toda su historia. Puede decirse que José Vasconcelos fue, como educador, como rector de Universidad y como creador de nuevas formas de enseñanza y divulgación de la cultura, un verdadero rompedor, alguien que transformó totalmente el concepto de enseñar y divulgar, de difundir en suma el conocimiento entre todas las nuevas generaciones mexicanas.

Obregón había acertado de lleno en la elección de su hombre, porque nadie ignora cómo cambió el panorama educativo y cultural de su país a partir de entonces, renovado a fondo y cambiando absolutamente no sólo de forma, sino de fondo, de arriba a abajo, de extremo a extremo. Puede decirse, sin temor a exageración alguna, que tanto en la Universidad como en toda clase de forma educativa en México habrá siempre un «antes» y un «después», tras el paso de José Vasconcelos por esos cargos decisivos.

Dividió el Ministerio de Educación en tres departamentos principales, de igual importancia todos ellos, pero de diferente orientación y cometido cada uno de ellos.

El departamento de Escuelas era el primero, creado tanto para impartir enseñanza científica y técnica como teoría. El departamento de Bibliotecas era el encargado de difundir la lectura en todo el país, por los medios más variados que lo hicieran posible, y que podían ser muchos, a juicio de Vasconcelos. Y finalmente, el departamento de Bellas Artes fue creado para fomentar la cultura artística en todas sus expresiones posibles, desde el canto a la gimnasia y desde el dibujo a la pintura, así como el estudio de toda clase de artes especiales en las escuelas desde muy temprana edad, para que los estudiantes se fueran acostumbrando, ya de forma precoz, a las posibles vocaciones que en ellos pudieran despertarse.

Todo ello, de por sí, era ya una revolución completa de la forma de enseñanza establecida hasta entonces, casi toda ella basada en los mismos arcaicos procedimientos de otros tiempos, nunca alterados ni cambiados, por indolencia o desidia de gobernantes y educadores. Contra todo eso estaba él dispuesto a luchar. Y de hecho estaba luchando ya muy activamente, con su nuevo modo de ver las cosas.

Por si todo esto fuera poco, aún trató de ir más lejos en sus ambiciones como educador de las nuevas generaciones, y evocando el ejemplo que en él habían suscitado los antiguos misioneros españoles durante su labor evangelizadora, creó el llamado Departamento de Enseñanza Indígena, para lo cual nombró a una serie de maestros que debían inspirarse directamente en la propia obra de aquellos misioneros, para ir difundiendo la palabra hablada y escrita entre los lugares, pueblos y campos más necesitados de ello.

Era como una especie de singular cruzada personal contra la ignorancia, el analfabetismo y la incultura de miles y miles de campesinos y obreros que así, por primera vez en su vida, iban a tener la gran oportunidad de aprender, como mínimo, a leer y escribir. Verdaderas legiones de maestros se ocupaban de tal tarea, pero Vasconcelos, siempre avanzando un paso más que ningún otro en su camino hacia la alfabetización del país, no dudó en adoptar una medida tan revolucionaria como genial: los propios estudiantes, sus alumnos, convertidos en una especie de maestros honorarios, salieron a las calles, a los pueblos, a los campos, a todo rincón donde hubiera alguien que no supiera leer ni escribir, para enseñarles esos primeros pasos que él consideraba imprescindibles para todo hombre, por humilde que éste fuera.

Era un impulso gigantesco para crear una educación rural, técnica y urbana. La creación de redes de bibliotecas, de misiones culturales, de escuelas, de Casas del Pueblo creadas para educar, como centros educativos básicos, y al mismo tiempo la educación indígena, formaban un todo asombroso, insospechado sólo unas fechas atrás.

Tras educar rudimentariamente a las personas, una vez difundida la lectura y escritura primarias, procuró fomentar lo más posible la lectura de libros, e incluso patrocinó numerosas ediciones de obras clásicas, para que fueran repartidas entre esos nuevos alumnos, y les educara en algo tan fundamental como enseñar a que las gentes que acababan de aprender a leer, pudieran tener la inmensa satisfacción de dar salida a sus nuevos conocimientos con algo tan hermoso como podía ser el conocimiento de los textos clásicos, una especie de fuente del saber para quienes muy poco antes no sabían apenas nada.

El 9 de junio de 1920 era nombrado rector de la Universidad Nacional. El 2 de octubre de 1921 dejaba ese cargo, para pasar a ocupar el de secretario de Educación Pública, hasta el 2 de julio de 1924, y siempre bajo la presidencia de Álvaro Obregón.

Durante ese período, igualmente, fue el patrocinador de algo tan fundamental para el arte mexicano como fue el apoyo y protección a los pintores muralistas, al tiempo que aún disponía de un momento libre para crear nada menos que la Orquesta Sinfónica de México. En cuanto a esos muralistas, basta con recordar que, entre los que él lanzó a la fama y a la gloria definitivas, estaban nada menos que Diego Rivera y José Clemente Orozco, entre otros.

No se puede pedir más a un hombre que lo que Vasconcelos llevó a cabo desde sus cargos educativos de la época de Obregón, cambiando radicalmente el panorama cultural y de educación entre las nuevas generaciones mexicanas.

Puede decirse que, sin él, aquel proceso de educación y culturización de la juventud mexicana no se hubiera producido, o hubiera tardado aún muchos años en llegar a ser una realidad. La enorme humanidad, la imaginación creativa de Vasconcelos, puesta al servicio de tales ideas renovadoras, habían hecho lo que en realidad parecía más un milagro que el resultado de una serie de proyectos e innovaciones de todo tipo en el campo de la enseñanza.

Que Obregón acertó al elegir al hombre adecuado, no ofrece la menor duda, aunque posiblemente incluso él se llegara a sorprender de lo que la capacidad de aquella persona era capaz de alcanzar en tan corto espacio de tiempo.

Evidentemente, Vasconcelos era hombre capacitado para muchas cosas, como luego se encargaría de demostrar a lo largo de una carrera tan brillante como rica en resultados, pero además era una persona que creía firmemente en la raza que representaba, en el mexicano tal como era, cruce y mezcla de varias etnias, de diversas sangres, de distintas razas, que en vez de empobrecerle, habían logrado enriquecer a sus compatriotas mucho más allá de lo que algunos imaginaban. Luchó desde siempre contra ese desprecio que ciertos sectores de la sociedad sentían hacia el mestizaje, y que algunos «puristas» definían poco menos que como una maldición para el pueblo mexicano.

Por contra, él mantenía a ultranza su criterio de que en ese crisol espléndido se podía hallar el espíritu y la fuerza mismos del mexicanismo más positivo. Por esa misma razón fue por la que impuso a la Universidad Nacional el lema de «Por mi raza hablará el espíritu», principio muy discutido por algunos, pero al que él se mantuvo fiel en todo momento, comprobando sin dificultad alguna que estaba en lo cierto, y que sus teorías no eran ningún disparate, sino la pura y simple realidad.

Él sería también quien mandara iniciar la construcción del actual edificio de la Secretaría de Educación Pública, al tiempo que llevaba una muy generosa política de acercamiento con los demás pueblos latinoamericanos, siempre orgulloso del mestizaje que tantos denostaban sin razón para ello.

Como vemos, la obra educativa de Vasconcelos en México, durante aquel período, fue tan rica y amplia que parece mentira cómo un solo hombre pudo organizar y llevar a cabo tan magna tarea, apelando a los medios más imaginativos, y consiguiendo con ello resultados que ni el más optimista hubiera podido esperar.

Lástima que de nuevo otra clase de problemas, relacionados siempre con los vaivenes políticos del país —en especial, por supuesto, de sus gobernantes, como siempre—, fueran más tarde a romper de forma brusca una obra tan cuidadosamente planificada y tan generosa y eficientemente llevada a cabo.

* * *

Hasta ahora, en lo poco que de su biografía hemos ido estudiando, y que se refiere, sobre todo, a sus años mozos y a su brillante madurez como hombre, como educador y como pensador, habremos ido teniendo, al menos, una idea aproximada de la talla humana e intelectual de aquel José Vasconcelos firme y seguro siempre de sí mismo, capaz de enfrentarse a los mayores problemas y encontrarles una solución aparentemente sencilla, pero que distaba mucho de serlo, salvo para un hombre como él.

José Vasconcelos había demostrado ser un revolucionario constructivo, nada anárquico, que buscaba en la Revolución tan sólo el camino de la justicia social y de la igualdad máxima entre las diversas clases del país, pero sobre todo una base en que implantar una nueva mentalidad para todo México: la cultura.

A espaldas de los políticos virtualmente, sin importarle ideologías y menos aún trasnochados prejuicios, Vasconcelos era hombre de ideas concretas y proyectos decisivos, capaz de llevarlos a la práctica en cuanto se lo permitieran, y que no tardaban demasiado tiempo en dar sus frutos.

Había demostrado ser capaz también de llevar a cabo delicados y complejos temas que entraban en el terreno de la pura diplomacia, como cuando gozaba de la confianza de Venustiano Carranza y fue enviado con misiones muy concretas a países tan distintos en cultura al suyo propio como podían ser Francia o Inglaterra.

En esas tareas supo ser también un hombre discreto, hábil, fiel a la confidencialidad de sus misiones, y por ello mismo muy capaz de llevar a cabo todo lo que le fuera confiado, en la seguridad de que no iba a defraudar a los que confiaran en él.

Lo que los políticos no podían entender es que *su* hombre, el que podía ser designado para cualquier tarea complicada y resolverla sin problemas, fuera capaz de tener ideas propias sobre todo aquello que consideraba inadecuado e injusto, y no dudara lo más mínimo en expresar su descontento en voz alta.

Al parecer, los políticos, sean del país que sean, lo que han querido siempre es gente sumisa, siempre servicial y callada, que acepte como dogma de fe sus decisiones, sin osar discutir ninguna de ellas. La peregrina teoría de cualquier político, incluso en la actualidad, no es otra que la de que el que no está incondicionalmente a su lado, es que está contra él.

Con esa terca mentalidad, que tanto tiene de sectaria y, pese a provenir de supuestos demócratas, tan reñida está con la propia democracia, no es de extrañar que muchos grandes hombres acaben injustamente arrumbados en un rincón, como utensilios viejos, cuando se han de poner en tela de juicio la razón o la sinrazón de sus líderes.

Ése había sido el caso de José Vasconcelos con el propio Carranza, cuando tuvo que exiliarse a los Estados Unidos, país que ya le era bien conocido por haber llevado a cabo en él, anteriormente, otras misiones encomendadas por el presidente, lo mismo que al vecino Canadá. Carranza no toleró que un hombre de su total confianza, y capacitado para menesteres delicados, que ningún otro hubiera sabido llevar a cabo con tanto tacto, se atreviera a criticarle o a censurar sus métodos. Y la relación entre ambos hombres, lógicamente, se rompió.

La experiencia se repitió posteriormente, siendo ya secretario de Instrucción Pública, en un segundo exilio provocado por parecidas razones al anterior.

Parecía qué, después de esa segunda prueba de sus diferencias con los políticos de turno, iba a ser ya más difícil que tan desagradable experiencia se repitiera. Desde 1921 era el ministro de Educación de su país y gozaba de la total confianza del presidente Álvaro Obregón, en especial tras sus éxitos en los planes de enseñanza y culturización llevados a cabo.

Pero no hay dos sin tres, y de nuevo José Vasconcelos, sin duda a causa de su integridad moral, siempre intacta e insobornable, se iba a ver abocado al exilio en 1924, precisamente por un enfrentamiento personal bastante fuerte con el presidente mexicano.

Vasconcelos, que a toda su gran labor educativa podía unir en esos momentos otra medalla de mérito propio, como era la construcción de un magnífico Estadio Nacional, adecuado sobre todo para espectáculos populares, volvió a tropezar en la misma piedra una vez más.

Él sabía bien que la juventud no sólo necesitaba de libros y largas horas de estudio para formar su mente, sino que también el deporte y los espectáculos públicos de alto nivel popular podían hacer mucho bien tanto a su mente como a su espíritu y a su cuerpo, motivos por los cuales abordó la edificación de aquel estadio, orgullo entonces de la ciudad de México. Demostraba, una vez más, ser hombre de una especial sensibilidad para captar las necesidades de las jóvenes generaciones, y no reducirlo todo a la árida tarea del estudio.

Pero lo cierto es que, llegado el momento, todo ese trabajo no le iba a servir de nada a Vasconcelos que, de nuevo enfrentado con el poder por una simple cuestión de diferentes puntos de vista, causó la irritación de quien hasta entonces fuera su protector y amigo, y el general Obregón, ahora presidente, no dudó en romper con su hombre de confianza, y de nuevo el exilio sería el camino de Vasconcelos ante el incidente.

Sus forzados viajes a los Estados Unidos, siempre por motivos parecidos, parecían irse haciendo cosa frecuente, pensaba con amargura cuando tuvo que hacer sus maletas, echar la vista atrás, lamentando dejar las cosas a medio hacer, y emprender el camino del exilio nuevamente.

Ése fue un momento absolutamente negativo y dañino para el pueblo mexicano, porque ninguno de sus sucesores en el cargo iba ya a ser ni sombra de lo que fuera Vasconcelos al frente de la educación del país. El mayor benefactor del nivel cultural y educativo de la juventud mexicana se veía obligado a abandonar una vez más su tierra por razones políticas, dejando tras de sí una obra gigantesca, llevada a cabo en sólo tres años.

¿Qué hubiera sido capaz de hacer José Vasconcelos, de prolongarse más tiempo su actividad al frente de la Universidad y de la Educación, y tener tiempo de desarrollar todos sus innumerables proyectos de mejora de la enseñanza y de renovadas técnicas de culturización del pueblo llano?

Es una pregunta lamentablemente sin respuesta, porque la obra se quedó a medio hacer, y no por culpa suya. De nuevo el factor político, como una maldición, era el encargado de poner frenos en el engranaje del progreso, para perjuicio siempre de la juventud e incluso de las clases más desfavorecidas, que ya no iban a ser objeto de especial atención por parte de nadie, como hiciera en su momento José Vasconcelos, ávido de alfabetizar el país.

Cierto que Vasconcelos fue quien dimitió de su cargo ante las desavenencias con Obregón, pero se vio empujado a ello por las circunstancias. Y eso no sólo iba a pasar en el ámbito puramente educativo y escolar, sino que también afectaría, y mucho, al ambiente artístico nacional.

De momento, apenas desaparecido Vasconcelos de la escena, el gobierno canceló su programa de pinturas murales. El muralismo, que tanto había mimado el exiliado, como muestra de un arte representativo de México y de su cultura, así como de su historia y de sus raíces indígenas, dejó de existir prácticamente desde 1924. Grandes muralistas como Rivera, Orozco y Siqueiros se quedan virtualmente en la calle, algunos con sus grandes frescos a medio pintar.

Solamente Rivera, entre todos, fue capaz de seguir trabajando, tanto con Álbaro Obregón en su último año de mandato, como con su sucesor, Plutarco Elías Calles. Pero el programa de muralismo proyectado por Vasconcelos ya no podía ser igual.

Hay que tener en cuenta que, durante su tarea al frente de la educación, el arte pictórico había representado para Vasconcelos una de sus tareas más ambiciosas. Fue él quien eligió a los que habían de ser los muralistas, y quien decidió qué palacios y recintos debían prestar sus grandes muros a aquellos pintores. La decoración de edificios públicos con pinturas murales había sido ya iniciada en 1921, apenas llegó él a su cargo.

No se olvide, por ejemplo, que apenas nombrado rector de la Universidad Nacional, en 1920, Vasconcelos se había apresurado a reunir los fondos necesarios para financiar un viaje a Italia al joven muralista Diego Rivera, para que se empapara bien de las técnicas pictóricas de los frescos renacentistas y aprendiera de los grandes maestros italianos, en especial de Florencia, para llevar sus aprendizajes en ese sentido a la realización de los murales que él proyectaba ver hechos una realidad en los muros de los edificios públicos mexicanos.

Sí, el muralismo, el arte pictórico de México, también se lo debe todo o casi todo al empeño de José Vasconcelos por proteger y ayudar a ese arte tan autóctono, y que tantas glorias iba a dar al país, y bien claro se demostró que, sin él en el cargo, los muralistas eran ignorados y su obra menospreciada.

Vasconcelos no había visto nunca con buenos ojos las tendencias políticas de sus protegidos, puesto que éstos, con Rivera, Orozco y Siqueiros a la cabeza, habían fundado un revolucionario Sindicato de Obreros, Técnicos, Pintores y Escultores, de marcado acento marxista, y el propio Rivera había ingresado en el Partido Comunista Mexicano.

Dominando su disgusto por esas tendencias de sus pintores, procuró ignorarlas y dejar que llevaran a cabo su obra, aunque en ocasiones no le gustara la excesiva politización de las obras, influenciadas de forma evidente por ideologías exportadas de Moscú, y que a él, personalmente, no le convencían lo más mínimo.

Vasconcelos había militado en la Revolución, sí, pero su ideario revolucionario de la juventud iba encaminado solamente a la igualdad social y económica del pueblo mexicano, no a asimilar doctrinas llegadas de fuera, y que no acababan de convencerle, porque no veía del todo claros sus objetivos.

Pero aun con todos esos problemas de por medio, sus pintores no le fallaron en ningún momento y, paulatinamente, los grandes muros, antes desnudos, de escuelas, institutos y palacios se fueron cubriendo con el arte mural de aquel grupo de hombres excepcionales que él mimaba y protegía, sabedor de que eran una riqueza artística viva que México no podía malgastar.

La Secretaría de Educación Pública se llenaría, antes de la dimisión de José Vasconcelos, de grandes frescos de Diego Rivera, hoy en día orgullo de la nación y ejemplo de un arte único en el mundo, y todo eso también es indiscutible obra suya, que de otro modo se hubiera perdido tal vez para siempre.

Toda esa gran obra tampoco fue tenida en cuenta ni por sus rivales políticos ni por los que se habían hecho pasar por amigos y colaboradores suyos durante aquellos años. Apenas desapareció él de la escena, desaparecieron las ayudas económicas y los presupuestos para que los muralistas siguieran trabajando, al tiempo que una corriente de opinión contraria a esos pintores de frescos recorría el país, hábilmente manipulada por los interesados en borrar lo más posible la magna obra de Vasconcelos, ahora exiliado en los Estados Unidos, como en ocasiones anteriores.

Sólo que esta vez su ausencia iba a ser mucho más prolongada, en concreto hasta 1929, año en que regresaría a su país, pero entonces con una idea muy concreta, ajena a sus inquietudes intelectuales y educativas.

Deseaba ser presidente de la República, e iba a presentarse a las elecciones.

Capítulo III

— Política —

P ERO antes de regresar José Vasconcelos a su país, eran muchas las cosas que en éste estaban sucediendo, y que iban alterando muy notablemente el panorama social y político de la nación.

En primer lugar, Álvaro Obregón dejaba de ser presidente en 1924, justo meses después de la dimisión de Vasconcelos, al perder las elecciones delante de su antagonista, Plutarco Elías Calles. Aquellos hechos no iban a ser buenos para México.

Plutarco Elías Calles estaba considerado por muchos como un político tan hábil como corrupto. Era hombre de ideas reaccionarias, que había estudiado Magisterio y alcanzado el grado de inspector escolar siendo aún bastante joven. Intervino de forma activa en las actividades revolucionarias, a partir de 1911, llegando a ostentar en el estado de Sonora el cargo de comandante militar.

En 1913 había sido nombrado gobernador de aquel estado, aun sin abandonar la comandancia militar. Era enemigo mortal del alcohol, hasta el punto de prohibir en Sonora la venta de toda bebida alcohólica, pero también era un liberal absolutamente radical y enemigo del clero, como demostró de inmediato.

Prohibió el ejercicio de culto a los sacerdotes católicos y autorizó el divorcio. Con Carranza había sido en 1919 secretario de Industria, Comercio y Trabajo, y posteriormente ocupó otros puestos ministeriales, hasta el año 1924, que iba a ser el de su consagración política.

Elegido presidente, siguió siendo tan profundamente radical como lo fuera en su período de gobernador de Sonora, fundando en el propio año 1929 el Partido Nacional Revolucionario (PNR), que posteriormente pasaría a llamarse PRI (Partido Revolucionario Institucional).

Éste era el hombre que gobernaba México en ausencia de José Vasconcelos, durante el exilio de éste en tierras norteamericanas. La persecución religiosa se intensificó en todo el país, hasta el extremo de producirse el estallido llamado «revuelta de los cristeros», como una respuesta de los creyentes a la persecución de que eran objeto por parte del Gobierno.

Esa revuelta iba a ser reprimida sin contemplaciones por Plutarco Elías Calles, quien estaba dispuesto a impedir por todos los medios que la Iglesia gozara de la más mínima protección en todo el país, y los incidentes llegaron a adquirir caracteres de tal gravedad, que se llegó hasta el asesinato, como se verá más adelante.

El mandato de Calles se extendería desde 1924 hasta 1928, y sus presuntas ideas revolucionarias se limitarían única y exclusivamente a las represalias contra la religión, y nada más. Era una forma de disimular que ningún otro ideal de los revolucionarios iba a ser respetado ni mantenido por el astuto presidente.

A pesar de un gobernante tan distinto a Obregón, había artistas que sobrevivían y continuaban haciendo su tarea muralista, pese a su militancia marxista, pero en realidad el único caso importante de todos ellos era el de Diego Rivera, que seguía trabajando con el nuevo régimen como si tal cosa. Enfrentado por un lado a los conservadores de Elías Calles, y por otro a sus antiguos compañeros, que le consideraban un traidor por trabajar con aquel gobierno ultraconservador y antirrevolucionario, enemigo del comunismo y de muchas otras cosas.

Durante el mandato de Calles, el Partido Comunista Mexicano fue declarado ilegal, pero aun así Rivera continuó pintando sus murales, en medio de un ambiente crispado y propicio a la violencia, cuyos ecos llegaban hasta José Vasconcelos, en su exilio de los Estados Unidos.

Tal vez por ello, cuando llegó el año 1928, y se anunciaron las nuevas elecciones, José Vasconcelos creyó llegado el momento de volver a México, y presentó su candidatura para oponerse a Plutarco Elías Calles, que le iba a oponer a un presidente-títere, de nombre Emilio Portes Gil, que no era otra cosa que el hombre de paja tras el cual pensaba seguir gobernando en la sombra.

Vasconcelos, por tanto, llegó a México, dispuesto a combatir en esta ocasión por la presidencia de la nación, tras un período de larga reflexión en tierras norteamericanas, durante el cual no había dejado su fertilidad de producir sus frutos, como veremos un poco más adelante.

A esas elecciones se presentaría también Álvaro Obregón, su antiguo protector, intentando terminar también con el período de corrupción y violencia antirreligiosa de Elías Calles.

Las elecciones prometían ser movidas.

Y lo fueron. Con sangre incluida.

* * *

Los estudiantes de todo el país hicieron bandera, por supuesto, de José Vasconcelos, porque para ellos era la esperanza de una apertura real, de más cultura, educación y progreso. Los gritos de «¡Viva Vasconcelos!» resonaban en muchas aulas del país.

Elías Calles perdió las elecciones, eso sí. Pero José Vasconcelos no pudo ganarlas. Fue derrotado en las mismas, y con el amargo sabor de esa derrota comprendió que su camino no estaba en la política, y que tener a la juventud a su lado no había sido suficiente para asegurarle la victoria que podía suponer para México un nuevo período de culturización y modernización de la enseñanza, así como progreso para las artes y las letras.

Todo eso, con la derrota definitiva de Vasconcelos en las urnas, se iba al traste, aunque al menos cabía alguna esperanza, si es que Álvaro Obregón y él habían logrado limar las viejas diferencias que les separaron en 1924, porque el ganador de esas elecciones fue presidente quien ya fuera presidente anteriormente, y con el que Vasconcelos llevara a cabo su gran reforma de la enseñanza nacional.

Pero la desgracia, en forma de trágica violencia, iba a cruzarse en el camino de Vasconcelos pero, sobre todo, del propio Álvaro Obregón, ya presidente electo.

Un militante «cristero», uno de los creyentes religiosos perseguidos por Elías Calles, atentó entonces contra Álvaro Obregón. Éste halló la muerte, asesinado por su agresor.

Aquello terminaba con toda esperanza de arreglo, Elías Calles volvía a ser el hombre fuerte de México, aunque fuera a través de sus títeres visibles, gobernando desde la sombra, como había previsto.

José Vasconcelos, que era hombre conservador de ideas como había sido siempre, y por ello mismo un creyente más, vio en peligro su propia integridad si continuaba en el país, y tomó la decisión de volver a marcharse.

Parecía ése su triste sino: abandonar México y vivir en el exilio. De nuevo Los Estados Unidos serían su obligado refugio, puesto que su vida en México corría peligro, y además carecía de la libertad suficiente para desarrollar sus ideas.

La experiencia política no había dado resultado. Debía volver por tanto a su retiro personal. Sabía que sus opositores, los amigos y colaboradores de Plutarco Elías Calles no iban a perdonarle en modo alguno, y su vida estaba en peligro como había estado la de Obregón al ganar aquellas elecciones.

Así, pues, nuevamente cruzó la frontera norte del país, de regreso a Norteamérica, donde ya antes había empezado una tarea de muy distinto cariz al político, y que ahora podía continuar, desligándose de todo problema relacionado con su patria, al menos por el momento. Tenía cosas que hacer, e iba a hacerlas. Eso era lo realmente importante en estos momentos de frustración personal.

* * *

Hemos hablado anteriormente del exilio de Vasconcelos en 1924, por su enfrentamiento con el entonces presidente Obregón, sin añadir mucho más a los hechos del momento, y pasando casi sin solución de continuidad a su retorno a México en 1928 —su regreso fue exactamente el 10 de noviembre de 1928—, para presentarse como candidato a la presidencia.

Pero hemos dejado de momento en el tintero algunas cosas de importancia en ese lapso de tiempo, como sería el abandono de su cargo educativo, que fue el paso previo, seguido por la aceptación de su candidatura para gobernador de Oaxaca.

Sin embargo, ese triunfo no le fue reconocido oficialmente por el gobierno de Obregón, tal vez en represalia por su renuncia anterior, y fue entonces cuando ya optó por tomar el camino del exilio y renunciar a toda lucha contra el poder, convertido ahora, de repente, en su peor enemigo.

Aunque el lugar elegido para su exilio voluntario fue, como ya se dijo, y como parecía habitual en él, el poderoso vecino del norte, la realidad es que no todo aquel exilio lo pasó en los Estados Unidos, sino que también pasó largas temporadas en países europeos.

Durante todo ese período de tiempo se dedicó a impartir conferencias, ofrecer entrevistas a los medios de comunicación europeos o americanos, y también tuvo tiempo para publicar numerosos artículos en diversos periódicos de Europa y de América, casi siempre relacionados con los temas culturales que con los puramente políticos, hasta su regreso a México para luchar en las presidenciales que, como sabemos, perdería ante Obregón, aunque éste no llegara a ejercer de nuevo el cargo por la acción asesina de un «cristero» violento, cosas todas ellas que iban a redundar precisamente en beneficio del peor enemigo del clero y de la Iglesia que tenía México en esos momentos, y que no era otro que Plutarco Elías Calles.

No contento con las actividades mencionadas antes, José Vasconcelos publicaría en 1925, en pleno exilio, su obra *La raza cósmica,* uno de sus libros más conocidos, y en el que exponía algunas de sus personalísimas reflexiones sobre el indigenismo mexicano, tema que, años más tarde, dotaría de una orientación política mucho más conservadora que en sus inicios.

No se puede decir que, aparte ser la más popular de sus obras, fuera *La raza cósmica* la primera que dejara huella de su tarea literaria, puesto que podemos retrotraernos en el tiempo, y retroceder a momentos muy anteriores, como cuando en 1918 publicó *El monismo estético* o cuando en 1924 editó *La revolución de la energía*, obras ambas que tenían algo importante en común: en las dos, Vasconcelos empezaba a ofrecer una imagen espiritualista y dinámica del universo, como centro de sus teorías.

Ya anteriormente, incluso, había cultivado de forma muy especial el ensayo histórico y también el filosófico, despertando el interés de sus lectores y provocando un cierto cisma en los círculos afines a ambas tendencias.

Puede decirse, por tanto, que Vasconcelos no se dedicaba precisamente a la holganza durante sus períodos de exilio en el extranjero, sino que trabajaba, y mucho, en todas aquellas materias que realmente le habían interesado siempre y que, de haber podido llevar adelante sus reformas educativas, no hay duda de que hubiera llegado a difundir y popularizar entre el pueblo mexicano, como él deseaba.

Ahora, tras su derrota electoral y la influencia, para él nefasta, de la política de Elías Calles y sus adláteres, el exilio aún iba a resultar más duradero, prolongándose durante una serie de años, todos aquellos en que la persecución religiosa y la actitud de los diferentes gobiernos le parecieron tan adversas como represivas, y con las que no transigía en modo alguno, fiel siempre a su ideario y a sí mismo.

Desengañado en gran parte de la política —y sobre todo de los políticos—, se refugió, por suerte para él, en sus pensamientos y en sus tendencias pedagógicas, históricas y filosóficas, logrando en ese terreno alcanzar sus más altos niveles creativos y proyectar sus teorías y emociones a la zonas más amplias posibles, tanto en su propio país —pese al exilio—, como en el resto del mundo, donde alcanzaría títulos y galardones innumerables, merecidos por la propia grandeza de su pensamiento.

José Vasconcelos, a no dudar, y pese a quien pese, ha sido una de las personalidades más destacadas en el ámbito cultural del siglo XX, a nivel nacional e internacional. Ha pasado a la historia tanto en su condición de intelectual como en la de defensor y propulsor del indigenismo de su país, tal vez entendido por él como nadie lo había concebido antes.

Capítulo IV

— Eterno exiliado —

PARECÍA ser su destino, y José Vasconcelos lo aceptaba con filosófica resignación. No podía ser por menos en persona tan cultivada, serena y razonable como él. Por tanto, aquella nueva ausencia de su país natal no le venía de nuevas ni constituía sorpresa alguna para él. No se sentía capaz en absoluto de convivir con políticos corruptos o represivos, con «cristeros» violentos o exacerbados, ni con muchas otras cosas de su amado país, que no le gustaban en absoluto.

Por ello su estancia en el extranjero le daba la suficiente calma y serenidad como para concentrarse en sus trabajos, dar rienda suelta a su pensamiento, y olvidarse de todo aquello que pudiera significar un lastre para su actividad intelectual, que era la que en realidad contaba ahora para él.

No se le podía culpar tampoco de haberse mantenido al margen de la actualidad de su país ni de las apetencias de su pueblo, ya que lo intentó todo cuando regresó a él con la idea de alcanzar el cargo presidencial en unas elecciones que no se habían presentado precisamente factibles, ni mucho menos.

Pero vencido en las urnas, y presenciando la muerte violenta de Álvaro Obregón a manos de un «cristero» exaltado, no le quedaba otro remedio que volver a ser, le gustara o no, el eterno exiliado de su patria, lejos del ambiente peligroso y tenso de aquel México que

47

no era el que él deseaba. Como no lo había sido antes con Porfirio Díaz, con Madero, con Carranza o con el temido general Huerta, tampoco ahora le resultaba nada fiable con la política de Elías Calles, siempre visible en la marcha del país, aunque no fuera él oficialmente quien gobernara. Pero para todos era obvio que el presidente de turno no era sino un monigote en sus manos, y que detrás de éste se hallaba la mano sinuosa de Elías Calles, con su política intolerante y con sus leyes de represión religiosa, que había provocado, entre otras reacciones más o menos violentas, la famosa y tristemente dramática revuelta de los «cristeros».

No, aquél no era el México que él deseaba y donde poder desarrollar sus actividades intelectuales. Por tanto, en vez de un castigo, aquel exilio entre 1929 y 1940, iba a ser para él una especie de remanso de paz, de sosiego y de serenidad, donde poder ir desarrollando de forma positiva su labor filosófica, que era la que en realidad más le estaba importando en esos momentos.

* * *

Ciertamente que su paso por la política tuvo momentos muy brillantes, especialmente en la época en que fue secretario de Educación Pública bajo la presidencia del general Álvaro Obregón entre los años 1921 y 1924, pero da la sensación de que el destino quería reservarle a José Vasconcelos un más elevado rango fuera del mundo político, y que probablemente la victoria electoral le hubiera impedido alcanzar de un modo pleno.

Tal vez por ello mismo convenga alegrarse de que no fuera el vencedor de aquellos comicios, y pudiera ocupar la silla presidencial como él deseaba, por muchos que fueran sus deseos en ese sentido, tal vez con la idea de cooperar al desarrollo cultural y educativo de su país desde tan alto puesto.

Las tareas políticas le hubieran impedido, quizá, poderse dedicar de lleno a ese trabajo, como él imaginaba, y la vida de Vasconcelos se hubiera deslizado inevitablemente por otros derroteros muy distintos a los que él imaginaba. Hay que tener en cuenta que muchas veces el gobernante no puede hacer todo aquello que quiere, atado precisamente por las obligaciones de su cargo y de sus actividades puramente políticas.

México hubiera ganado, probablemente, un buen gobernante. Pero a cambio, hubiera perdido a su mejor filósofo y escritor. ¿Valía la pena el canje? Posiblemente, no.

En cambio, con su exilio, Vasconcelos volvía a otras actividades muy diferentes, alejadas de la política aunque fuera contra su voluntad, y aquel período entre el año de su nuevo exilio, 1929, y el de su futuro regreso al país, ya en 1940, iba a significar en su vida una próspera etapa productiva, donde la filosofía, la pedagogía y la historia iban a gozar ampliamente de su dedicación plena, con los resultados que todos conocemos hoy en día, y de los que México se puede enorgullecer, como patria del interesado, y el mundo entero felicitarse por haber contado con una personalidad como la suya y una obra como la que dejaría para la posteridad.

Los muralistas mexicanos echaban de menos la presencia del hombre que les había descubierto y había apoyado generosamente su trabajo, pero mal que bien iban saliendo adelante, y proyectando su obra a la fama, en especial Diego Rivera, el más poderoso creador plástico de todos ellos, aunque ya no fueran tantos los frescos que llenaran los muros de los principales edificios oficiales de México, y en ocasiones incluso el propio Rivera tuviera que abandonar su país para hacer trabajos en el extranjero, donde su prestigio como pintor muralista crecía sin parar, y más ahora que era pareja de una pintora mexicana tan importante como Frida Kahlo.

También los muralistas tenían sus problemas con Elías Calles y sus «presidentes-títere», por lo que no es de extrañar que, ya exiliado Vasconcelos, en 1930, dimitiera así mismo Rivera como director de la Academia de Bellas Artes de San Carlos, y emprendiera el viaje a los Estados Unidos, para realizar algunos de sus mejores murales en la ciudad de San Francisco, California, del mismo modo que luego iba a realizarlos en Nueva York y Detroit.

Por cierto que algunos de los grandes frescos de Rivera no gustaban nada en estos momentos a Vasconcelos, porque se alejaban frontalmente de sus creencias. No sólo glorificaba en sus pinturas a Lenin o al marxismo soviético, sino que incluso se permitía mostrar

49

claramente sus pensamientos anticlericales, tan opuestos a un hombre profundamente conservador, como era José Vasconcelos.

De todos modos, Rivera podía regresar libremente a México cuando deseara, porque allí la Iglesia seguía siendo perseguida por los esbirros de Elías Calles, y los «cristeros» continuaban con sus revueltas, más o menos violentas, contra el poder establecido. Vasconcelos, en cambio, ante aquel ambiente dominante en su país, prefería mantenerse lejos de él y seguir sus trabajos en el extranjero, ya fuera en los Estados Unidos, ya en otros países.

El conservadurismo católico de Vasconcelos, que se incrementaría notablemente en los últimos años de su vida, ya marcaba sus pensamientos entonces, por lo que no podía sentirse satisfecho de lo que acontecía con la religión en su patria, a la que sabía, en el fondo, profundamente creyente y devota, aunque sin llegar a fanatismos absurdos jamás.

Otra cosa era que las corrientes imperantes en la época, y que venían casi todas de Europa, trajeran consigo los vientos revolucionarios de la URSS, tan distintos a los principios de la Revolución mexicana, que se basó únicamente en la lucha del hombre oprimido y sojuzgado contra la injusticia social y económica.

También en teoría había sido algo parecido la Revolución de Octubre de los bolcheviques, pero Vasconcelos bien sabía que eso, ahora, era pura utopía, y que el estalinismo actual no era sino otra forma de dictadura disfrazada con una ideología que los soviéticos eran los primeros en no cumplir.

Todo ese cúmulo de circunstancias, tanto nacionales como internacionales —eran muchos los países europeos inflamados por aquel virus político llegado de la antigua Rusia—, tenían profundamente desanimado al Vasconcelos puramente político, que optó por desligarse en muchos sentidos de sus inquietudes en ese terreno, para concentrarse en sus ideas filosóficas, heredadas directamente de Pitágoras y de Plotino sobre todo.

Por supuesto que para él la cultura constituía un fundamento básico en la vida del hombre y en el desarrollo de la sociedad, pero era sin embargo un enemigo declarado del intelectualismo y el positivismo, como bien claramente deja ver en sus tesis filosóficas que se basan, sobre todo, en la preponderancia de lo emocional, sobre todas esas cosas.

Ya en sus principios, cuando se afilió entusiásticamente a las tropas revolucionarias de Madero, lo que en realidad más parecía buscar Vasconcelos era una clave que pudiera entroncar el mundo ideal de la cultura con el mundo real de la vida de su propia patria. Le gustaba ser un filosofo en el más puro sentido platónico, razón por la cual su magisterio se ejerció de forma muy especial a través de su obra escrita y no de su palabra.

Profundo estudioso de la historia de su pueblo, se interesó en todo momento por las raíces indígenas de México, pero al revés que muchos otros, que lo centraron todo en esas raíces, realzando su pureza como la mejor de las herencias, José Vasconcelos pensaba de otro modo muy distinto, y no tuvo reparos en exponerlo así, con una valentía que sorprendió a muchos, porque no dejaba de ser, en esos momentos, poco menos que un anatema o un sacrilegio contra las tesis de muchos historiadores.

Aunque curiosamente fuera él quien guiara a muchos por el camino del conocimiento de la más antigua fase de la historia mexicana —concretamente los pintores muralistas sabían mucho de eso, en especial Diego Rivera, a quien incluso llevó personalmente a regiones de profundo valor autóctono—, no fue nunca un defensor a ultranza de la necesidad de mantener intactos los indiscutibles valores del indigenismo mexicano tal como fuera en sus principios. Para Vasconcelos, por contra, también la influencia española y su mestizaje con el pueblo indio nativo había sido fuente de desarrollo, y de ese mestizaje con otros pueblos venía, precisamente, la grandeza misma de la raza mexicana.

Afirmaciones de ese tipo tenían que levantar ampollas en muchos sectores, declaradamente antiespañoles, que se dedicaban a recordar el papel dominante y avasallador de los conquistadores, en tiempos de la llegada de Cortés y de otros como él a tierras mexicanas, pero Vasconcelos, implacable, sostenía frente a ellos sus tesis, reiterando que de esos contactos, de ese cruce de razas, había surgido una nueva raza más rica y más fuerte, y que el mestizaje era motivo de orgullo y no de vergüenza para todo buen mexicano.

Sobre esos pilares edificó Vasconcelos sus escritos de tipo histórico, como por ejemplo su admirable y espléndida obra *Breve Historia de México,* escrita en 1948, y uno de cuyos párrafos más significativos mencionamos precisamente como introducción a esta obra:

«... mientras sigamos borrachos de mentiras patrióticas, no asomará en nuestro cielo la esperanza».

Es una afirmación contundente, como tantas otras que se pueden hallar en su obra, y resulta lógico que causara estupor e incluso indignación en los numerosos círculos intelectuales donde se pensaba de manera radicalmente distinta, pero a José Vasconcelos no se le podrá negar nunca la profunda valentía con que era capaz de difundir y sostener sus ideas.

Pero para llegar a esa obra, habían de pasar aún muchos años, casi veinte, años durante los cuales el escritor, historiador y filósofo iba a ser capaz de desarrollar su personal sentido filosófico y convertirse en creador de una filosofía única, de la que él fue creador, que es la Filosofía Estética.

Sin embargo, no hay que pensar que la abundantísima obra literaria de José Vasconcelos se centre sobre todo en lo filosófico, ya que, como hemos visto, la historia era también uno de los temas tratados en su obra, y ya mucho antes, concretamente en 1920, había sido autor de un libro de gran calidad, *La caída de Carranza.*

Lo que muchos ignoran es que, entre las obras de aquella primera etapa literaria de Vasconcelos, fuera posible hallar también crítica literaria, como su obra *Divagaciones literarias,* publicada en 1919 y, lo que aún puede resultar más raro, ¡incluso dramas teatrales!

En efecto, nada menos que en 1916, escribía Vasconcelos su obra escénica *Prometeo Vencedor.*

En *La caía de Carranza* —subtitulada «De la dictadura a la libertad»— trataba el gobierno del que fuera primero revolucionario y luego presidente dictatorial, con la dureza crítica de quien se ha sentido personalmente herido y desengañado por alguien en quien llegó a confiar, y su lucidez para reflejar aquel período frustrante de los que creyeron en su líder, hasta su inevitable caída, tras traicionar incluso a sus más fieles seguidores, es tal que hace de la obra un exponente claro de unos hechos y de toda una época, así como el estudio psicológico de un hombre al que el poder llegó a cambiar de tal modo que en nada se parecía al que se enfrentó previamente a las oligarquías nacionales.

Pero la obra inicial de Vasconcelos, antes de ser quien realmente fue en el campo histórico y filosófico, databa ya de mucho tiempo atrás, y aunque fuera en 1925 cuando publicara una de sus obras maestras, *La razón cósmica,* ya mencionada antes, lo cierto es que en su juventud son muchos los títulos que forman parte de su fértil productividad literaria.

Así, en 1916 también, escribía sus ensayos filosóficos y estéticos, bajo el título de *La intelectualidad mexicana, El movimiento intelectual contemporáneo de México,* un nuevo ensayo sobre un tema que le era especialmente querido, *El monismo estético,* en 1918, o *Indiología* en 1926.

En 1919 escribió y publicó así mismo su obra *Divulgaciones literarias,* un ensayo profundo y lúcido sobre la situación literaria de aquellos momentos en su México natal. Como se ve, muchas obras, alternadas con sus trabajos educativos. De modo que el nuevo período creativo que se iniciaba en 1929 en el extranjero, tras su marcha del país después de las elecciones perdidas y tras la muerte violenta de Álvaro Obregón, el ganador, a beneficio del sibilino Plutarco Elías Calles y sus títeres políticos, tenía que ser forzosamente intenso, continuador de todas aquellas jóvenes inquietudes ya expresadas con anterioridad.

Lo cierto es que a partir de 1929 precisamente, José Vasconcelos iba a definir mejor que nunca quién era y quién iba a ser, dentro del panorama cultural mexicano.

E incluso del panorama cultural del mundo.

Segunda parte
El Pensador

Capítulo Primero

— Inquietudes —

Lo cierto es que, mientras Vasconcelos vivía exiliado de su país, en éste las cosas distaban bastante de estar calmadas. La influencia de Elías Calles en la política del país seguía provocando tensiones graves en la sociedad mexicana, especialmente en la católica, que se veía acosada y perseguida ya desde 1924, cuando la política del entonces «presidente oficial» —ahora lo era extraoficialmente, ya que todos sabían que su figura estaba detrás de Portes Gil, de Ortiz Rubio o de Abelardo Rodríguez, mientras éstos ejercían de supuestos presidentes— provocó la llamada «revuelta de los cristeros»; las aguas no habían vuelto a su cauce, y los problemas de la Iglesia y de sus feligreses en México seguían siendo graves.

Esto no dejaba de atormentar a José Vasconcelos, aun en su exilio, porque atacaba sus más íntimas convicciones personales, y era uno de los principales motivos por los que mantenía su alejamiento de México, aun con todo el dolor de su corazón.

Vasconcelos sabía bien cuál era el pasado de Elías Calles, y no esperaba demasiado de aquel hombre, mientras siguiera manejando las riendas de su país, ya fuera directamente, ya a través de sicarios puestos en el poder como marionetas, tal como sucedía en los momentos actuales.

Él no podía dejar de lado la rumorología popular, que insistía en que Calles, en su juventud, había sido un simple mesero, capaz de convertirse en un próspero empresario durante el porfiriato. Nadie, pensaba Vasconcelos, sufre tan importante cambio social y económico, en breve espacio de tiempo, si no ha sido a través de influencias y de juego no demasiado limpio. Evidentemente, el mandato de Porfirio Díaz había resultado muy beneficioso para aquel hombre de orígenes militares y revolucionarios.

Tenía Calles treinta y tres años en el momento de estallar la Revolución y, pese a su pretendida lealtad a don Porfirio, no dudó en elegir bando y ponerse astutamente junto a los futuros vencedores. Pero en su condición de tradicional hijo del pasado porfiriato, y como beneficiario muy directo de éste, era tremendamente anticlerical. Por si eso fuera poco, Calles era francmasón, cosa que por cierto compartían muchos líderes revolucionarios.

Por eso cuando alcanzó el poder, una de las primeras cosas que haría sería nombrar a varios hermanos masones como importantes miembros de su gobierno, activando a la vez las cláusulas anticatólicas de la Constitución proclamada en 1917.

Hubo sucesos anecdóticos que confirmaban ese radicalismo anticlerical de Calles, como la famosa proclama del gobernador del estado de Tabasco, Garrido Canabal, que ordenaba a todos los sacerdotes contraer matrimonio, o el hecho de que el secretario de Trabajo, Luis Morones, un mafioso nombrado por Calles, líder de la muy poderosa federación de sindicatos CROM, iniciara su propio acoso a la Iglesia en 1925, creando una cismática «Iglesia Nacional», que pretendía nombrar e instalar a sus propios párrocos.

Sucesos así eran los que sublevaban los ánimos de José Vasconcelos, y fueron los que le llevaron a intentar en 1929 terminar con ese estado de cosas de una vez por todas, devolviendo la normalidad a su país y devolviendo a las autoridades eclesiásticas sus pisoteados derechos.

Pero su intento fracasó al ser derrotado, y más aún cuando aquel «cristero» enloquecido tuvo el fatal error de asesinar al ganador de las elecciones, Álvaro Obregón, quien, pese a ser en esos momentos un rival directo de Vasconcelos y un hombre con quien sus lazos de amistad habían concluido hacía tiempo, nunca hubiera sido capaz de actuar como Calles en el problema religioso, y con él las aguas hubieran vuelto a su cauce.

Es más, la muerte violenta de Obregón y la derrota de Vasconcelos envalentonaron de tal modo a Elías Calles que, desde su privilegiada posición en la sombra, manejando los hilos de sus humanos títeres puestos en los diversos gobiernos del momento, incrementó más aún si cabe las medidas represivas contra la Iglesia, lo que provocaría ineludiblemente un mayor encono en las actividades de los «cristeros» contra el Gobierno.

Era un auténtico callejón sin salida aquel México del que tuvo que ausentarse, y bien que le preocupaba, incluso en la distancia, el curso de los acontecimientos en su país.

Por si todo esto fuera poco, justo en 1929, Vasconcelos se enteraba de que el Partido Comunista Mexicano era ilegalizado oficialmente, y un importante comunista cubano, de nombre Julio Antonio Mella, era asesinado en la ciudad de México.

La reforma agraria, una de las metas que intentaba alcanzar la Revolución en su día, era frenada así mismo por Calles, al que ahora se conocía en México como el «Jefe Máximo de la Revolución», e imponía toda una serie de políticas conservadoras, utilizando siempre a los presidentes de turno como monigotes a su servicio. El arte mural cae en picado, los pintores muralistas han de cesar sus trabajos o emigrar al extranjero —como en el caso de Diego Rivera—, y todo ello no hace sino prestar mayor confusionismo y desorientación al momento político y social que vivía México en esas fechas.

Todo aquello dolía mucho a José Vasconcelos, que hubiera deseado intervenir de alguna manera eficaz en su país, para frenar todo aquel desorden y caos, pero se sentía atado de pies y manos, porque era incapaz de hacer algo por intervenir de forma directa en los sucesos que conmovían la sociedad mexicana.

Le preocupaban tanto los desmanes anticlericales de Calles y sus incondicionales como la influencia marxista en grandes núcleos de la población, muy especialmente en el juvenil y estudiantil, más proclive siempre a las nuevas modas ideológicas, sobre todo a una tan fuerte y revolucionaria como la que llegaba de Moscú, envuelta en promesas y soflamas que él no veía nada claros ni sinceros, en parte por su cariz puramente utópico, en parte porque estaba seguro de que no todos los dirigentes del marxismo soviético iban a tener la pureza ideológica de un Marx, un Engels o un Lenin.

Tratando de olvidarse un poco de todo ello, se concentra en su trabajo intelectual y pedagógico, escribiendo ensayos y trabajos sobre diversos temas, pero sobre todo acerca de lo que más le preocupa, que el pensamiento del hombre en sí, su postura ante la vida y ante el mundo.

Trata de olvidar así mismo su permanente activismo de siempre, ya que nada puede conseguir con ello para cambiar el rumbo de los acontecimientos de su patria, y se encierra en sus ideas, en sus trabajos históricos, pedagógicos o filosóficos, siempre utilizando el medio escrito para dejar constancia de su pensamiento y de sus teorías.

Sus ideas en torno a una auténtica cultura nacional fundada en los valores universales van tomando forma en su obra escrita, y de esa etapa iba a surgir lo más fructífero de su creatividad, ya fuera en forma de ensayo, relato, cuento o disquisición puramente filosófica, a través de la cual va dando forma paulatinamente a un modo de pensar y de ser que iban a dejar profunda huella, no sólo en su ahora distante país, sino en el mundo entero. Porque la verdadera dimensión de José Vasconcelos como filósofo no es solamente privilegio de una nación, la suya, sino de todo el planeta, puesto que las dimensiones de su obra y de su pensamiento tienen un alcance internacional, asimilable por cualquier pueblo del mundo.

Se ha dicho que Vasconcelos fue como un Ulises criollo —ese iba a ser precisamente el título de una de sus obras más importantes, escrita en 1935—, capaz de viajar por todo el orbe, de deambular por el mundo entero, en una nueva Odisea, encaminada a expandir su pensamiento y su filosofía, profundamente americanas y a la vez muy universales. Pero en realidad lo que él quería ostentar, predicar, imbuir en todos y cada uno de sus oyentes posibles, en su periplo universal, era la grandeza misma del pensamiento de América, todo lo grande y todo lo perfecto que puede ser el mestizaje de diversas razas entrelazadas a lo largo de los siglos, para crea una nueva raza, mejor que ninguna otra, superior a todas, porque de todas ha recogido algo, y ese algo es lo mejor de cada una de ellas.

Ése es uno de los principios fundamentales de su obra, de su pensamiento, y es lo que trataba de difundir allá donde fuera, en su particular *Odisea,* rumbo a una *Ítaca* inconcreta y sutil, idealizada y tal vez más utópica que la del propio héroe mitológico de Homero, pero que se expresaba en un solo nombre, en una sola idea: América.

Y dentro de América, naturalmente, su querido México, parte intrínseca y vital de la América sublime que él difundía y trataba de hacer entender.

Para él, tan héroe americano podía ser Moctezuma como Cortés, Juan Diego como Emiliano Zapata o Pancho Villa, Madero como Obregón, cada cual con sus pros y sus contras, pero profundamente arraigados todos a la historia misma de América, de México, de cada trozo de tierra americana pisada ahora por una raza que era crisol de muchas otras razas, autóctonas o venidas de lejos, eso importaba poco, siempre que unas se hubieran sabido ensamblar con las otras en un todo perfecto y armonioso.

Para José Vasconcelos, el mestizaje indohispano era una raza abierta a todas las necesidades y posibilidades del mundo del futuro. Era una raza capaz de abrirse paso triunfalmente a través de épocas y de circunstancias, lo bastante fuerte y capaz como para arrostrar sin dificultades los problemas de un porvenir incierto y sobreponerse a todas las dificultades que el destino pudiera reservarle.

Ésa es una de las ideas básicas de este filósofo e historiador, una bandera que enarboló en todo momento con plena convicción y total orgullo, burlándose de quienes dudaban de sus ideas y despreciando a los que creían que en su cruce con lo español habían perdido todas sus posibilidades e incluso sus señas de identidad.

Para José Vasconcelos, todo lo que era negativo en las aseveraciones de esa gente, incluidos conocidos historiadores y estudiosos del pasado mexicano, era profundamente positivo y digno de ser tenido en cuenta incluso con verdadero orgullo, burlándose así de muchos patrioterismos que él consideraba tan erróneos como llenos de vulgaridad y carentes de todo sentido.

Para él, los valores humanos de los grandes personajes de la historia americana eran realmente excepcionales, y no dudaba de su grandeza, «fuera cual fuera su procedencia», sin hacer distingos entre ellas, y destacaba que su valía era tal que esa misma procedencia era algo completamente indiferente a la hora de valorar precisamente la dimensión real de esos héroes del pasado histórico.

Con esos postulados, es lógico que muchos no estuvieran de acuerdo, y de ahí la discusión acalorada sobre su obra y la negación de esos conceptos parte de sus muchos opositores. Pero Vasconcelos no se dejaba vencer por ellos y seguía fiel a su trayectoria de opinión en todo momento.

Por ello siempre se había guiado, entre otros principios fundamentales, por aquel que hablaba del «Nacionalismo espiritual y orientación del Hispanoamericanismo», este último como fuente de riqueza étnica, espiritual y moral para todo el pueblo de la América española, cualquiera que fuera.

En realidad, sus principios, como guía de su obra pedagógica, fueron el ya aludido anteriormente, junto con el principio ineludible de «difusión de la Cultura Elemental con el propósito de extinguir de una vez por todas la terrible plaga del analfabetismo», así como la «difusión a mayor escala posible, aunque dentro de un nivel comprensible para la gran masa popular, de la enseñanza industrial y técnica».

Por esas razones su labor de enseñanza fue en realidad todo un apostolado de tan hermosa profesión, hasta lograr convertir la escuela en un verdadero centro o agencia de transformación social.

Ahora que se veía incapaz de proseguir tan ingente labor pedagógica, como había sido su sueño cuando se presentó a las elecciones, sin otro móvil político real que darle al pueblo el nivel educativo que siempre deseó que alcanzara, y que ningún gobernante se cuidaba de proporcionarle, José Vasconcelos tuvo que centrarse en otras inquietudes, huir de sus obsesiones de educar y enseñar a las gentes y alcanzar su utópico sueño de una sociedad sin analfabetos ni ignorantes, y preocuparse por difundir, cuando menos, su pensamiento, sin por ello renunciar del todo a una labor de pedagogía que también se sentía capaz de desarrollar, si no con obras concretas y medidas puntuales, sí al menos a través de sus escritos.

Sus ideas filosóficas, vertidas en toda la amplitud de su magna obra literaria, se caracterizaron por una reivindicación del valor de la intuición emotiva, opuesta a toda forma de intelectualismo, y a la que situaba en la base de su sistema metafísico. Ello lo dejó bien concretado en una de sus primeras obras después de la derrota electoral y de su obligado exilio al extranjero, la titulada *Tratado de metafísica,* de 1929.

Vasconcelos es uno de los filósofos que más iban a incidir en la gran importancia de las categorías matemáticas, a las que daba una peculiarísima interpretación de clara influencia pitagórica.

Ciertamente, Pitágoras cuenta, y mucho, en la obra filosófica de José Vasconcelos. Este matemático griego, más conocido por su obra matemática, precisamente, que por la puramente filosófica, nació en Samos, hacia el año 559, para fallecer en Mataponto sobre el año 500, antes de Cristo.

Aunque se tengan escasos datos sobre su vida, se supone que fue discípulo de Tales de Mileto, y deportado a Babilonia como esclavo de Cambises, estudiando en aquellas tierras la ciencia de los caldeos.

Huido a Crotona, parece ser que fundó allí una escuela —otro paralelismo evidente con José de Vasconcelos—, a la que acudían gran número de seguidores suyos y una cierta hermandad que por entonces se creó, llamada precisamente Orden de Pitágoras, de carácter casi religioso, en la que sus adeptos se juramentaban para no revelar a nadie las enseñanzas allí recibidas.

Las aportaciones más importantes de Pitágoras se centraron en el campo de las matemáticas —esta palabra fue realmente inventada por el propio Pitágoras—, y con su «teoría de los números» otorgó a éstos un carácter mágico, considerándolos como la realidad prima de la que están hechas todas aquellas cosas que somos capaces de ver o de tocar.

Los números fueron clasificados por él en triángulos y cuadrados. Formuló en geometría el teorema que lleva su nombre sobre el cuadrado de la hipotenusa de un triángulo rectángulo, equivalente a la suma de los cuadrados de los catetos. Otro de sus descubrimientos sería el gnomon o escuadra de los carpinteros, y las proporciones armónicas y longitudinales de una cuerda vibrante llamada monocordio, en relación con los sonidos de la escala musical.

Los pitagóricos pensaban que la propia naturaleza podía ser expresada mediante términos numéricos, creencia mágica de los números que muy posteriormente iba a dar lugar a la cábala.

Hemos aludido a estos puntos de la vida de Pitágoras para que se adviertan más claramente sus influencias filosóficas en la propia trayectoria filosófica de José Vasconcelos, seguidor inquebrantable de muchas de las creencias y teorías pitagóricas, muy cercanas en algunos puntos a su propia creación de la filosofía estética y su interpretación de las categorías matemáticas.

También hemos mencionado en algún momento que, aparte Pitágoras, Plotino fue también alguien que tuvo influencia notable en su modo de pensar y de exponer su pensamiento. Y ello es bien cierto.

¿Quién fue realmente Plotino y qué pudo influir de él en Vasconcelos? Tratemos de explicar ese punto, nada fácil por cierto, sobre todo para quien no esté demasiado iniciado en el campo filosófico.

Plotino nació en Licópolis hacia el año 203 y murió en Roma en el 270. Fue le máximo representante del neoplatonismo, y su interés por ciertos movimientos filosóficos fue tal, que se alistó en la expedición del emperador romano Gordiano III para luchar contra los persas, en el año 242, sólo con la secreta intención de conocer la filosofía de éstos y la de los habitantes de la India.

Posteriormente se iría a Roma, donde abriría una escuela filosófica. Fue persona que gozó de gran prestigio en su tiempo, tanto por su modestia como por su desinterés y su integridad moral. Se sabe de él que, personalmente, era hombre sin ambiciones, que no se contentaba con enseñar filosofía, sino que la vivía. Para Plotino, la filosofía no era una mera ciencia, sino un auténtica forma de vida.

Es otro de los rasgos fundamentales que también descubrimos en José Vasconcelos, filósofo por vocación y por devoción, hombre que no sólo sintió la filosofía, sino que supo vivirla intensamente, como una explicación de la propia vida humana.

Pero no era ésa toda la influencia que Plotino podía ejercer sobre Vasconcelos, sino muchas otras y más intensas. Por ejemplo, en la doctrina de Plotino como neoplatonismo panteísta. Éste arranca de su propio concepto de Dios, a quien denomina el Uno — Vasconcelos lo denominaría el Absoluto—, origen y fundamento de todo lo demás.

El Uno no es materia, porque no tiene partes, decía Plotino. Ni espíritu, porque el espíritu se conoce a sí mismo y habría por tanto dualidad en este conocimiento. El Uno es perfección infinita, más allá de toda determinación, y puede ser expresado solamente por vía de negación, aunque esto parezca una paradoja.

Sin embargo, alguna determinación puede hacerse: es el primero, y es energía que sale de sí mismo para originar todas las cosas a través de un proceso de degradación que, arrancando del Uno, llegan hasta la materia. Eso dice Plotino, y algo semejante sale del pensamiento y de la pluma de Vasconcelos, muchos siglos después.

En uno de estos grados de emanación aparece la *nous,* el espíritu, y de ella, siempre según Plotino, el alma. Primeramente es el alma del mundo que a su vez engendra la materia, que es una especie de no-ser.

El mundo sensible aparece aquí, en este estadio. La materia es el mal, la fuente de toda imperfección. Por el conocimiento se produce un movimiento inverso al de causación, que nos lleva, que nos convierte a Dios. El alma humana, una parte del alma del mundo, aun situada dentro del cuerpo, está relacionada con el espíritu y aspira siempre a unirse con el Uno.

Esta acción puede llegar a realizarla a través de tres grados: la ascesis, que es la renuncia a la materia sensible; la contemplación de la belleza espiritual, y el éxtasis, que es el estrecho contacto con Dios. Esta última fase, afirma Plotino, es sólo privilegio de las almas superiores.

Es una forma de filosofía que José Vasconcelos seguiría, con las modificaciones que le imponía su propia forma de ver las cosas y de expresarlas a través de su propio lenguaje filosófico, pero en esencia muchos de los escritos de Plotino, como los de Pitágoras, aparecen reflejados de alguna manera en sus conclusiones metafísicas.

En realidad, todo cuanto llegó a escribir Plotino en vida, sobre todo aquello cuanto redactó una vez cumplidos los cincuenta años, sería recogido, ordenado y publicado posteriormente por uno de sus discípulos, Porfirio. Fue éste precisamente quien hizo de ellos una colección dividida en seis secciones de nueve tratados cada una, por lo que recibieron el nombre de *Enneades* o Novenarios.

La influencia de esas ideas de Plotino fue muy considerable, no sólo en su tiempo, sino mucho después. Su doctrina iba a ser difundida no solamente por el pensamiento pagano, sino incluso por los propios Padres de la Iglesia. Así tenemos que en la escuela siria, el neoplatónico Jámblico llegó a ejercer una poderosa influencia en el pensamiento de San Agustín.

De la escuela de Pérgamo nacería la corriente encargada de defender la cultura pagana contra el cristianismo, que era otra forma de entender los postulados iniciales de Plotino.

Se puede considerar a Plotino como el último gran filósofo griego de la antigüedad, ya que fue un seguidor de la tradición helenística, pero en su filosofía no es difícil hallar así mismo importantes influencias hindúes, como la identidad del *yo* con el ser universal.

La línea de su pensamiento se continuaría con muy diversas variantes hasta el siglo VI, en que la filosofía cristiana se mostró en un mayor grado de fecundidad para intentar resolver muchas de las cuestiones anteriormente planteadas por los neoplatónicos.

José Vasconcelos, a muchos siglos de distancia de Plotino, y sin embargo sensiblemente influenciado por su pensamiento, es un ejemplo vivo de que la propia filosofía cristiana no era del todo opuesta, ni mucho menos, a numerosas cuestiones planteadas por el neoplatonismo, desde el momento en que hizo suyas numerosas aseveraciones del filósofo de Licópolis (actual Asiut egipcia).

Por supuesto que Vasconcelos conocía los trabajos de Plotino especialmente a través de la edición de sus obras por medio de su discípulo Porfirio, antes nombrado. Porfirio era nacido en Tiro (en la actualidad la ciudad de Sur, libanesa), neoplatónico como su maestro, y se le llamó también Malmos —al parecer su verdadero nombre, ya que Porfirio aludía a la púrpura que se confeccionaba en su ciudad natal por entonces, y parece ser más apodo que nombre real—, y ya hemos mencionado que fue el editor y recopilador de los pensamientos del gran filosofo cuya doctrina aprendiera en Roma.

Por ello su doctrina sería sustancialmente la misma de Plotino, e incluso escribió una obra titulada *Vida de Plotino,* que recoge no sólo su pensamiento sino también su biografía.

Desgraciadamente, la mayoría de esos escritos se han perdido para siempre, aunque al menos pudieron ser extractados en el siglo III y parte del IV por Eusebio de Cesárea. José Vasconcelos bebió en todas esas fuentes, aunque incompletas lo bastante ricas en contenido, como para que sus propias ideas fueran fuertemente afectadas por la influencia del antiguo pensador, y por ende de sus discípulos más fieles.

Teniendo en cuenta que Vasconcelos fue siempre un firme seguidor de las doctrinas cristianas —es proverbial su ideología católica y conservadora—, no hay muchas dudas sobre la posibilidad de que su conocimiento de la filosofía de Plotino fuera canalizada precisamente a través de la ya nombrada circunstancia de que Eusebio de Cesárea pudiera llegar a extractar los escritos de Porfirio sobre su maestro.

Recordemos al respecto que Eusebio de Cesárea fue, sobre todo, un escritor eclesiástico, cuyo nombre procedía del hecho de haber nacido en Cesárea de Palestina hacia el año 263, encarcelado junto a su maestro Pánfilo, durante la persecución de Diocleciano, en el 307.

En el 309, tras el martirio de su maestro, se trasladó a la Tebaida (Egipto), donde también sería encarcelado, aunque una vez acabada la persecución, llegaría a ser nombrado obispo de Cesárea, en el año 313. (Actualmente, Cesárea se llama Kayseri y es una ciudad turca).

Intervino en la controversia arriana, adoptando una actitud algo ambigua —por no decir mucho—, entre Arrio y San Atanasio, reconociendo la divinidad de Jesucristo en términos que distaban mucho de ser rotundos o concretos y que rozaban bastante la ambigüedad.

Fue excomulgado en el sínodo de Antioquía —la actual Antakya turca—, por negarse a suscribir la confesión de fe contra Arrio. Sin embargo, en el concilio de Nicea (ahora la también turca ciudad de Iznik), firmó el símbolo allí redactado, intervino en el sínodo de Tiro, que condenaba a San Atanasio e influía en las medidas adoptadas por el emperador Constantino contra los obispos ortodoxos. Todo esto sucedía en el año 335.

Eusebio de Nirceo dejó escrita su más amplia obra, *La historia eclesiástica,* que abarcaba desde los orígenes mismos de la Iglesia hasta el año 324, y a través de ella trataba de demostrar que Dios es el auténtico fundador de la Iglesia.

En esa obra se refiere también la persecución de Diocleciano, entre el 303 y el 311, de la que él mismo había sido testigo, e igualmente la refiere, con mucho más detalle, en otra de sus obras, *Sobre los mártires de Palestina.*

Fue un importante escritor apologético, mostrando las religiones del pasado como un tránsito preparatorio para la aparición del cristianismo en el mundo. También dejaría escrita una *Vida de Constantino* panegirista, así como obras dogmáticas y amplios comentarios bíblicos.

En el total de sus escritos aparecerían también las obras de Plotino, extractadas pero fieles al espíritu mismo de su autor, y sería a través de esos extractos de Eusebio de Cesárea como José Vasconcelos llegara a conocer todo lo relativo al pensamiento de Plotino, asimilándolo y sirviendo de base, posteriormente, a su propio modo de pensar.

Por tanto, sin los extractos de Eusebio de Cesárea tal vez nunca se hubieran conocido a fondo los pensamientos del máximo representante del neoplatonismo, y es probable que la filosofía misma de Vasconcelos hubiera ido por derroteros muy distintos a los que en realidad tuvo posteriormente.

De todos modos, aun con esas poderosas influencias, la filosofía misma de José Vasconcelos tomó su propio rumbo personalísimo, por lo que se le puede considerar, y de hecho así se le considera mundialmente, como creador de todo un estilo filosófico y no continuador de ningún otro. Téngase en cuenta que las influencias del pensamiento ajeno no significan necesariamente que el pensamiento propio sea idéntico o semejante, sino que puede después derivarse hacia nuevos conceptos y nuevas perspectivas, que fue lo que sucedió con nuestro personaje.

No se le puede considerar, en el terreno filosófico, como simple continuador de nada ni de nadie, por muchas que puedan haber sido las influencias recibidas, pues no es nada sorprendente que algunas ideas filosóficas no propias puedan tener su influencia mayor o menor en el pensador, sin por ello desvirtuar los razonamientos y los caminos intelectuales del filósofo.

Capítulo II

— Filosofía estética —

Y A hemos mencionado antes que su línea filosófica se encuadra en la denominada filosofía del espíritu, opuesta al positivismo y al idealismo. Las obras de José Vasconcelos corresponden así al personalismo integral (primado ontológico, ético y social de la persona), al que Michele Federico Sciacca denominaba como «metafísica axiológica».

Sciacca, profesor de la Historia de la Filosofía en París, nacido en Garre en 1908, fue así mismo catedrático de Filosofía Teorética de la Universidad de Génova. Fundó y dirigió el *Giornale di Metafisica*, órgano del espiritualismo.

Fue una de las personas que más se interesó por la línea filosófica de José Vasconcelos, tal vez porque su propio pensamiento arrancaba así mismo de la filosofía platónico-agustiniana, por una parte, y del pensamiento de Rosmini y, naturalmente, también de Gentile por otra.

Sería Sciacca quien afirmaría que «el sentimiento de la propia subsistencia no es constitutivo, sino perceptivo de ésta; sentirse es apropiarse, sintiéndola, de la propia subsistencia y no es hacerla ser». Y en este orden de cosas, según él, «la autoconciencia es el saber primero que hace posible cualquier otro conocimiento». Esto le condujo a concluir que ello implica varias consecuencias: que el sujeto es un ser pensante, que es, además, un existente; que es actual y no

69

potencial y que, por lo mismo, «descubre y revela el ser de todas las cosas en el orden del ser.»

Según el propio Sciacca, la ética es el centro de la filosofía, pero la actividad ética implica una dimensión metafísica y axiológica, en cuanto que el valor se configura en el hombre en función del deber y del ser, teoría también compartida por otro filósofo francés, René Le Senne.

Todos estos filósofos se interesaron de alguna manera por las teorías de Vasconcelos, a quien valoran según se propia corriente de opinión, pero que a ninguno deja indiferente. La verdad es que la mente de Vasconcelos funciona más bien a nivel kantiano y llega a adoptar las ideas de Nietzsche sobre la tragedia griega, convirtiéndolas en categorías, pero añadiendo a las dos categorías puramente nietzschianas de la belleza —apolínea y dionisíaca—, una tercera: la mística.

Es realmente complejo para el autor exponer aquí todas estas elucubraciones meramente filosóficas, pero hay que tener en cuenta que, aparte sus tendencias pedagógicas y su enorme labor de enseñanza, José Vasconcelos fue y es tremendamente famoso y admirado por sus cualidades como filósofo más que por ninguna otra, aun siendo muchas las que acumuló en su vida.

Y para entender bien a José Vasconcelos es inevitable bucear en el complicado mundo de lo puramente filosófico, que formó parte no sólo de su existencia, sino de su propia forma de ser y de sentir.

Es al pensador el que ahora estamos tratando de reflejar aquí con la mayor fidelidad posible, y para ello resulta vital tratar de entender los orígenes mismos de sus ideas, y de analizar éstas con el mayor detalle posible.

Hemos mencionado que la mente de Vasconcelos funcionaba decididamente a «un nivel kantiano», y creemos que sería conveniente, llegado este caso, saber también, de un modo somero pero concreto, quién fue realmente Kant, que tanto llegó a influir en su línea de pensamiento. Muchos ya lo saben, pero no viene mal recordarlo. Y a otros, es preferible explicárselo, para que de ese modo entiendan mejor a nuestro personaje.

Immanuel Kant es, sin duda alguna, el mayor pensador de la Edad Moderna. Nacido en Königsberg en 1724, falleció en febrero de 1804. Su doctrina ha sido absolutamente decisiva para el rumbo de la filosofía posterior.

Fue persona que llevó una vida modesta, llena de dificultades muchas veces, y nunca salió de su ciudad natal. Sin embargo, aun con todo eso, alcanzó una fama enorme, y puede ser considerado un auténtico genio del pensamiento.

Fue un filósofo que medió entre posiciones muy encontradas de sus antecesores, y quiso que su pensamiento filosófico fuera ante todo crítico. Para Kant, los elementos *a priori* de la sensibilidad son el espacio y el tiempo. Según Kant, ni uno ni otro son realidades objetivas, sino formas subjetivas del conocimiento sensible, el cual se compone de una materia informe que nos llega desde fuera y a la que nuestra sensibilidad les da la forma espacio-temporal. Es, dice Kant, el modo humano de percibir las cosas.

Dejó dicho Kant: «Obra siempre de tal modo que la norma de tu acción pueda tener validez universal.» Las ideas de «alma» y de «Dios» deben ser admitidas como postulados de la razón práctica. El hombre tiene que ser libre. De otro modo carecería de sentido el imperativo categórico; si debemos ser libres es porque podemos serlo. Ello exige una recompensa que no se alcanza en la vida. Es necesario para ello la inmortalidad.

Por último, todo lo anterior tampoco tendría sentido sin la existencia de Dios, un ser justiciero, distribuidor de recompensas y castigos. De este modo, dice Kant, el orden moral debe ser aceptado, pero hay que renunciar a conocerlo.

Pero donde se nota más la influencia del pensamiento de Kant en José Vasconcelos y su mentalidad, es tal vez en aquello que se refiere a las conclusiones que el gran pensador de Königsberg menciona en su obra sobre «el juicio reflexionante», tanto «estético» como «teológico». El examen del juicio estético revela los elementos *a priori* del sentimiento. La investigación estética conjuga la espontaneidad y la libertad con la universalidad exigida por una rigurosa apreciación de la belleza, según deduce Kant.

71

Ahí se ve, claramente, que Vasconcelos piensa con mente absolutamente kantiana, siguiendo esas mismas inquietudes estéticas definidas ya por el filósofo autor de *Crítica de la razón pura*. Sólo que su modo de abordar la «estética» es francamente original y por completo nuevo. Con un idealismo peculiar, muy propio de él, José Vasconcelos entiende que «la operación estética radica en separar las cosas de su ritmo nativo, a fin de incorporar su movimiento al ritmo del alma».

Es por ello que su concepto de la filosofía estética, aunque visto a través de la mentalidad kantiana, es absolutamente original y diferente, por lo que no es sorprendente que se le considere como el creador de la llamada «Filosofía estética».

En cuanto a sus ideas adoptadas de las de Nietzsche sobre ciertos temas, son cuestión muy diferente, puesto que Friedrich Wilhelm Nietzsche, hijo de una familia de pastores protestantes alemanes, poco tiene en común en cuanto a pensamiento filosófico o a personalidad con Vasconcelos. Aquél puede ser considerado dentro de un grupo muy amplio de pensadores encuadrados en el vitalismo, aunque presentando matices sumamente especiales que le diferencian bastante de todos los demás.

Poseía un estilo literario muy personal y arrebatador, lo que le hizo famoso incluso fuera del campo propio de la filosofía, y al revés que otros pensadores vitalistas, se convirtió junto a personajes como Marx y Kierkegaard, en uno de los grandes pensadores revolucionarios del siglo XIX.

Además, Nietzsche afirmaba que la voluntad de vivir es el valor supremo al que el hombre puede y debe aspirar. Fue el creador de la idea llamada «del eterno retorno». Según él, el mundo está constituido por un número finito de elementos, por lo que el producto de las distintas combinaciones cósmicas ha de ser también necesariamente finito. Como, por otro lado, estas combinaciones tienen lugar en un tiempo infinito, los elementos recomenzarán una y otra vez sus combinaciones, retornando, así, eternamente. Son afirmaciones contenidas en una de sus grandes obras, *Así hablaba Zaratustra*.

De ahí a su afirmación sobre el «superhombre» había un solo paso. Y Nietzsche lo dio. Propugnó que los seres humanos debemos rechazar y suprimir todo lo vil, todo lo bajo y lo malo, mediante una transmutación de valores hasta que alcancemos el superhombre. Por ello, los débiles y los fracasados deben sucumbir en aras de este ideal.

Como consecuencia de esa idea —tan nefasta luego en la interpretación que el nazismo haría de ella—, condenó el cristianismo y le acusó de propagar una moral de esclavos, alcanzando tonos realmente muy violentos en sus ataques al cristianismo. Como se ve, en ese aspecto, nada que ver en el pensamiento de Nietzsche con el de José Vasconcelos.

Entonces, ¿dónde está su tendencia a coincidir con algunas de las ideas de Nietzsche?

En otro terreno filosófico que el pensador alemán dejó atrás en su llamada «época zaratústrica»: el arte griego.

Elaboró una famosísima y muy perdurable interpretación de ese arte, enmarcándolo en dos principios básicos: lo apolíneo y lo dionisíaco. En ello, lo primero representa la claridad, la belleza y la mesura, mientras lo segundo son la vida y la pasión.

Ese pensamiento lo alteraría Vasconcelos, añadiéndole ese tercer principio suyo, la mística. Es el único punto en que podemos ver una relación Vasconcelos-Nietzsche, ciertamente, pues este último, que acabaría muriendo loco, en su demencia llegó a extremos de barbarie casi, extasiándose ante la guerra y sus atrocidades, y llegando a afirmar en su obra *La gaya ciencia,* en 1882, su célebre conclusión sobre «la muerte de Dios». Todo en esos tiempos forma una especie de filosofía de la destrucción, así como un grave síntoma de la crisis total de la civilización de Occidente. Todo eso lo haría suyo el nacionalsocialismo, llegado el momento.

Así, pues, nada que ver de la filosofía de Vasconcelos con el pensamiento de Nietzsche salvo en lo relativo al arte griego, único punto en común de ambos pensadores, tan distantes en todo lo demás, como es obvio.

Para Vasconcelos, la estética no es el trabajo de lo bello, sino que consiste en redimir el mundo físico, trocando su ritmo de material en psíquico. El alma de la estética es el amor, que reintegra

73

lo disperso a lo Absoluto. Así pues, la función estética es la ley del espíritu.

Así discurrían los pensamientos de aquel hombre, fuera de su país, el mismo hombre que ostentaba el honorífico título de «Maestro de las juventudes de América», como le habían llamado en su día los estudiantes de América del Sur, quienes tuvieron suficiente clarividencia para descubrir en su figura la imagen de un hombre que igual luchaba junto a Madero por la Revolución como escribía una *Metafísica* y educaba a todo un pueblo como nadie lo había hecho nunca antes, una especie de clave definitiva que lograra entroncar el mundo ideal de la cultura con el mundo real de la vida patria.

Quedaba ya muy lejos su libro *Pitágoras, una teoría del Ritmo,* escrito en 1916, en plena juventud, pero seguía siendo el mismo entusiasta seguidor de ese pensador y matemático, así como del platónico Plotino. En 1929 escribía también su obra *Quetzalcóatl,* como un homenaje más a su amado pueblo y a su histórico pasado, lo que no le impedía continuar inmerso en sus trabajos filosóficos, que se esforzaba en dejar escritos siempre, siguiendo las normas del platonismo del que era tan ferviente seguidor.

El hombre, en su exilio, seguía pensando y escribiendo esas ideas en toda una serie de obras que iban aumentando su prestigio y su renombre, no ya en otros países, sino también en el suyo propio, y con tanta fuerza que superaba en mucho a los detractores de su obra, casi siempre pertenecientes a los círculos oficiales más próximos al poder.

En su país, entre tanto, las cosas estaban cambiando, aunque más despacio de lo que él quisiera, y seguramente otros muchos mexicanos. Así como desde 1930 Elías Calles, pese a no ser el presidente oficial, lo era de hecho, parapetado tras los hombres de paja que iba poniendo ante sí, llegó 1934 y las cosas cambiaron radicalmente, al presentarse Lázaro Cárdenas a las elecciones y ganarlas.

México ya tenía un nuevo presidente que no era títere de nadie. Pero para Vasconcelos existía un problema añadido ahora, puesto que Cárdenas era un simpatizante declarado del marxismo, y éstos le apoyaban incondicionalmente. Las ideas políticas en curso en su país seguían sin ser coincidentes en absoluto con las suyas, pese a que ya no estuviera el reaccionario Elías Calles.

A Vasconcelos no le gustaba el marxismo —al menos no en su forma actual, tan lejana de las utopías de sus inicios—, y optó por seguir exiliado, viendo desde la distancia la marcha de los acontecimientos de su país, donde al menos algunos actos de verdadera justicia social fueron afrontados valientemente por el nuevo presidente de la nación, como era la redistribución de parte de la propiedad rural, el impulso de la industria y la nacionalización del petróleo, hasta entonces en manos extranjeras.

Además, conforme a lo que decía la Constitución de 1917, a la que tan pocos gobernantes habían sido fieles, Cárdenas estableció en el país la enseñanza gratuita, libre, laica y obligatoria hasta los quince años.

Pero por contra, para disgusto de Vasconcelos, emitió una orden prohibiendo expresamente a toda institución de carácter religioso la creación de centros de enseñanza primaria. En ese sentido, la Iglesia seguía siendo marginada en muchos aspectos, aunque parecía verse en lontananza una cierta suavización que pudiera un día terminar con el cargado ambiente de violencia existente entre los llamados «cristeros» y las autoridades del país, así como con un amplio sector de la sociedad, enemigo de conceder tolerancia alguna a los poderes eclesiásticos.

Vasconcelos comprendía que no era aún la hora adecuada para regresar a su patria, por mucho que supiera de gentes importantes y de gran influencia que estaban dispuestas a apoyarle en su retorno, sabedores de su creciente prestigio internacional.

Y decidido a esperar el momento más oportuno para volver a pisar su amada tierra mexicana, siguió trabajando en sus labores filosóficas, alternándolas, en cuanto le era posible, con alguna obra donde expusiera sus conclusiones sobre el indigenismo, el mestizaje y el ardor defensivo para las influencias hispánicas en la América Latina, de todo lo cual tan orgulloso se había sentido siempre, y en cuya defensa tan fuerte había jugado siempre, a despecho de cuantas enemistades y críticas pudiera despertar su obra de hombre americano, feliz de ser quien era y cómo era.

Capítulo III

— Final del exilio —

DURANTE su período de ausencia de México, José Vasconcelos fue variando de forma paulatina algunas de sus reflexiones contenidas en la obra que publicara en 1925, *La raza cósmica*, y a partir de 1930 se notaría en sus escritos la influencia persistente de una orientación política más conservadora.

Incluso contribuyó, y mucho, a perfilar el concepto de «hispanidad» que había acuñado anteriormente monseñor Vizcarra, y que iba a alcanzar de forma paulatina un auge impensable, hasta nuestros días. Es como una evolución lenta pero inexorable del pensamiento de Vasconcelos, dirigido hacia la defensa a ultranza de los valores de la raza americana del sur, con todo lo bueno y todo lo malo que su mestizaje de siglos pudiera traer consigo, pero ensalzando solamente lo mucho bueno que él descubría en esa raza, destinada a empresas muy superiores a cuanto pudiera parecer.

Mucho más tarde, ya en 1948, todos esos conceptos suyos iban a quedar clara y definitivamente reflejados en una de sus más conocidas obras sobre el tema, *Breve historia de México*, pero ya desde mucho antes esa numantina defensa de Vasconcelos de los valores humanos de los americanos —sin distinción de procedencias— se ha ido haciendo evidente en toda su amplia obra pedagógica, histórica y étnica, al margen de sus tareas filosóficas.

En 1936, por fin, Plutarco Elías Calles es condenado al exilio por parte del gobierno de Lázaro Cárdenas, y de ese modo la tristemente famosa —y demasiado larga ya— «revuelta de los cristeros» va tocando a su fin, ante la suavización del trato oficial hacia los creyentes católicos, antes perseguidos como auténticos delincuentes.

Es por entonces cuando estalla en la lejana España una sangrienta guerra civil, entre republicanos y militares sublevados, que de inmediato acapara las simpatías del gobierno de Cárdenas hacia los que luchan por la República. Andando el tiempo, sin embargo, y a medida que el exilio de José Vasconcelos va aproximándose paulatinamente a su deseado final, serían los republicanos los perdedores de esa guerra, y México acogería a los exiliados españoles huidos tras la derrota.

Pero mientras tanto Trotski y perseguido por el brazo implacable del dictador comunista Stalin, goza de su exilio en territorio mexicano, creando no pocos problemas al Gobierno, por las protestas de los estalinistas de México y también por la amenaza que supone la presencia del disidente soviético en el país, ya que se sabe que Stalin ha ordenado terminar con él a cualquier precio.

Vasconcelos se va enterando de todo eso desde su exilio, mientras no ceja en su tarea de creatividad literaria, ya sea como historiador o como filósofo, y presiente malos momentos para México si las cosas siguen por ese camino. Para él, que ahora es un hombre cada vez más conservador de ideas y más próximo a los principios religiosos, las influencias del marxismo estalinista en México, e incluso en todo el mundo, no pueden traer sino desdichas y dificultades de todo tipo, aunque nunca su pluma se mezcle en políticas de esa línea, y prefiera mantenerse al margen de los acontecimientos.

En 1938 se produciría un nuevo paso positivo de Cárdenas, que empezaría a hacerse replantear las cosas a Vasconcelos en su exilio, como fue la decisión gubernamental de devolver a los sacerdotes mexicanos el derecho a decir misa.

Era un paso importante para la reconciliación oficial con la Iglesia, y también un modo inteligente de cortar toda la violencia que las intolerancias religiosas anteriores habían generado tan inútilmente. Lázaro Cárdenas, aun siendo simpatizante declarado del marxismo soviético, no dudaba así en demostrar su habilidad como gobernante, mientras británicos y norteamericanos miraban con muy malos ojos al gabinete del nuevo presidente, al haberles sido arrebatada la explotación de las empresas petroleras en territorio mexicano con el decreto de nacionalización.

Coincidiendo con el fin de la guerra civil en España, los temores por la suerte de Trotsky crecen en todo México, ya que la amenaza de sus enemigos parece cada vez más cercana, y los propios comunistas de México muestran públicamente su desagrado por la presencia del ruso en el país. Los exiliados españoles empezaban a llegar ya por entonces, y mezclado entre ellos no tardaría en llegar a México el hombre encargado de asesinar al enemigo de Stalin, por orden directa de éste.

Ello sucedería precisamente en 1940, año en el que José Vasconcelos iniciaba el fin de su largo exilio y resolvía, al fin, volver a pisar tierra mexicana.

* * *

Atrás quedaban años, varios años de dolor, de amarguras, de sentimientos heridos por la distancia. Él, que tanto amaba a su México natal, a su tierra querida de siempre, había tenido que vivir alejado de ella por motivos que se le antojaban tan vanos como ridículos en el fondo, y no precisamente por su iniciativa personal, sino por los intereses y las pasiones ajenos a él y a sus ideas.

Había tenido que desarrollar sus tesis en otros lugares, ante otras gentes, añorando siempre el poder hacerlo en su patria, ante su propia gente, que era la auténtica destinataria de sus desvelos literarios y de sus inquietudes intelectuales.

Sabiendo que había dejado incompleta una labor titánica, cuyo objetivo único —y desinteresado— era dar cultura a los que no la tenían, extinguir la lacra atroz del analfabetismo, tan cruel y perversa como la peor de las enfermedades epidémicas, José Vasconcelos volvía a *su* México ansiando hacer algo, seguir haciendo algo, lo que fuera, pero tremendamente positivo, por las mismas gentes a quienes en su día intentó arrancar de las garras siempre dañinas de la ignorancia y que tan bien le iban a los gobernantes para poder manejar a su antojo a la masa social.

Tal vez por ello, apenas estuvo de regreso en México en aquel año 1940, tras el gobierno de Lázaro Cárdenas, ocupando ahora la silla presidencial Manuel Ávila Camacho, tras las últimas y aperturistas decisiones de su antecesor, José Vasconcelos fue nombrado director de la Biblioteca Nacional.

Era un cargo propio de un hombre intelectual como él, y al que se dedicaría con la intensidad con que solía hacerse cargo siempre de sus obligaciones culturales. No es que el México que se encontró al regresar fuera el mundo ideal que él deseaba. Reciente aún el asesinato de Trotsky, a manos del agente del GPU soviético Ramón Mercader —español, por más señas—, con un gran artista nacional y mundial como Diego Rivera ausente por entonces en San Francisco, California, y con su esposa Frida Kahlo como sospechosa de complicidad en ese asesinato, acosada por la policía mexicana, aunque sin razones auténticas de peso, las cosas no andaban del todo bien en el país.

El Partido Comunista seguía sintiéndose fuerte, aunque tocado seriamente por el caso Trostky y sus enormes consecuencias políticas en todo el mundo, y el propio Rivera había sido rechazado para volver a ingresar en él, como el muralista había deseado.

Pero otras cosas iban cambiando a mejor en el país, y una evidencia de ello la tuvo Vasconcelos al ver que su antiguo protegido, el propio Diego Rivera, iniciara una nueva serie de frescos en los pasillos superiores del gran patio del Palacio Nacional. Eran indicios positivos, a juicio de Vasconcelos, que podían alimentar esperanzas de un futuro mejor para su país. En 1945 publicaría su *Lógica orgánica,* y su obra *La raza cósmica,* que, publicada en Barcelona en 1925, fue reeditada en México en 1948. Por cierto que la ciudad de Barcelona, en España, conoció muchas de las primeras ediciones de sus mejores trabajos de la primera y segunda época, puesto que también allí había editado en 1927 su trabajo *Indología,* del mismo modo que su obra *Bolivarismo y Monroísmo* había visto previamente la luz en el año 1934 en Santiago de Chile, o *De Robinsón a Odiseo* (una de sus piezas maestras en la literatura), en Madrid, en 1935, no viendo la edición mexicana la luz hasta 1952, en una tardía segunda edición que iba a descubrir a sus compatriotas, demasiado tarde tal vez, una serie de pensamientos fundamentales de su mejor filósofo de todos los tiempos.

Pero en la vida de José Vasconcelos pareció ser una norma habitual ir recorriendo el mundo e ir editando aquí y allá sus mejores trabajos, incluso en países muy alejados de la problemática que su obra afrontaba. Cuestiones propias de un hombre forzado por las circunstancias a no disponer, en muchos años, de un hogar estable ni de una situación cómoda en su propia patria, sino exiliado de acá para allá, dispersando su palabra, su voz escrita —sobre todo escrita, siempre escrita, como buen platonista—, a lo largo y ancho de todo el planeta, sin límites ni fronteras.

Después de todo, se defienda lo que se quiera, se diga lo que sea si tiene universalidad, si es intemporal y no se ajusta a moda ni ideología alguna, pueden estar esas hipotéticas fronteras o esos imaginarios límites, puesto que el hombre, como tal, es un ente universal, común a cualquier lugar del mundo, puesto que el mundo es la propia casa del hombre.

José Vasconcelos supo entender muy bien ese principio básico para el entendimiento de su palabra, seguro de que lo que decía y escribía era algo tan inteligible por el europeo como por el americano, y tan afín a una raza como a otra.

Por ello no le importó demasiado publicar sus obras allí donde estuviera en el momento de crearlas, seguro de que el público era el mismo allí que en otro lugar, y que si su palabra tenía realmente la universidad que él pretendía darle, no habría problema alguno en resultar comprensible para el lector de turno, de cualquier parte.

Eso, que en Filosofía podía ser siempre válido, parecía no serlo tanto en otra clase de trabajos, especialmente en los de sentido histórico o político, pero pronto se dio cuenta de que también en esos terrenos el hombre no era tan diferente como se pudiera creer, ni la gente pensaba de modo muy diferente, ya fuera europea, americana o asiática.

Su defensa del mestizaje, su afán por capitanear el movimiento en favor del hispanismo americano, fueron tan bien captados por los lectores europeos como lo fueron después por los más directamente afectados por sus teorías, como eran los latinoamericanos. Encontró parecido número de detractores y de entusiastas de sus ideas a un lado del Atlántico como al otro. Se le discutió lo mismo en sus ediciones europeas como en las americanas.

Y eso le convenció, más que ninguna otra cosa, de que su idea de la universalidad del ser humano y de su problemática venía a ser la misma —o muy parecida— en unas u otras latitudes. Para un filósofo de cuerpo entero como José Vasconcelos, todo ese descubrimiento no era en el fondo nada nuevo. Pero confirmaba muchas de las ideas que había alimentado al plantearse su obra de una forma genérica.

Todo esto, en cuanto a su labor puramente literaria, histórica o étnica, ya que en el terreno filosófico las cosas eran para él mucho más simples desde un principio, aunque esto pudiera parecer paradójico en algo tan complejo como es la filosofía pura, y más una nueva filosofía como era la que estaba creando José Vasconcelos, desde sus bases neoplatónicas y pitagóricas, que incluso habían llegado a pasar por el pensamiento de personas tan dispersas como Kant o Nietzsche, pongamos por caso, aunque ello a un profano en la materia le hubiera resultado en principio inaudito, si bien, como vimos en su momento, por los puntos de confluencia de Vasconcelos con esos grandes y tan diversos pensadores, todo tenía su lógica y su sentido, y encajaba, pieza por pieza, en el propio pensamiento de Vasconcelos, aunque con matices muy dignos de ser tenidos en cuenta.

Sus labores como director de la Biblioteca Nacional le dejaban tiempo suficiente para su labor favorita, que era el escribir, ya fuera ensayo, historia, filosofía o cualquier otra rama literaria de las que a él le apasionaban.

Pero fue posiblemente uno de los mejores rectores de dicha Biblioteca, a la que enriqueció con obras de todos los puntos del planeta y con un catálogo impresionante de nuevos títulos al alcance del lector. La cultura del pueblo seguía siendo su norma y su norte, como en aquellos viejos tiempos en que llevara la cultura a la calle, en que sus alumnos se convirtieran a su vez en improvisados maestros capaces de enseñar a los que nada sabían, o cuando logró el gran milagro de sacar también la pintura mural a las calles, logrando que el público se admirara viendo a los grandes maestros mexicanos, incluidos los que serían luego muralistas geniales, pintando ante sus ojos, creando sus trabajos pictóricos ante la mirada de la gente.

Ése había sido siempre el José Vasconcelos ávido de proporcionar al pueblo el nivel cultural que merecía, el hombre que deseaba, por encima de toda otra cosa en el mundo, que el saber no fuera privilegio de unos pocos, sino algo al alcance de todos, que rompiera con el analfabetismo y la ignorancia de siglos, para crear una nueva sociedad, para que como mínimo hasta el más lerdo supiera leer y escribir, y el que fuera realmente válido para ser enseñado llegara lo más lejos posible en su conocimiento de cualquier materia, por difícil que ésta fuera.

Su razón de ser, evidentemente, estuvo siempre en el mundo de la pedagogía, y su propio carácter de filósofo se atuvo siempre a esos principios, para enseñar al hombre lo más profundo del pensamiento humano con una sencillez y una rotundidad que no dejara lo filosófico al alcance tan sólo de unos pocos.

Por desgracia, no existen muchos Vasconcelos en el mundo, ni existieron entonces, ni existirán en la actualidad, porque aquellos que podrían continuar su obra educativa y pedagógica no pueden o no quieren hacerlo, que es peor. A fin de cuentas, al gobernante no le gusta que sus gobernados sepan demasiado, porque el saber siempre es peligroso para el poder.

¿Cómo manejar a una masa dócil, si esa masa piensa y sabe, si esas gentes tienen la cultura suficiente para no poder ser manipulados a gusto del que manda? Se romperían tantos sistemas políticos, se caerían a pedazos tantos líderes, caerían de su pedestal tantos y tantos grandes hombres —supuestos grandes hombres, mejor dicho—, que la estructura social y política del mundo sería otra. Y eso no interesa nunca al que está arriba, porque le impide manejar a su antojo a los que están abajo.

Es un principio inamovible, una forma de exponer cómo son realmente las cosas en el mundo, incluso en tiempo tan avanzados como los nuestros. Tal vez por ello, ahora, en el presente, muchos lugares del mundo sean más difíciles de manipular y de sojuzgar que antes, el escepticismo del ser humano sea mayor, y se haya perdido en gran parte el sentido de la disciplina que tanto gusta a los que mandan.

Lo peor de todo es que ese movimiento puede llegar a ser peligroso, porque si no se basa en pilares de cultura, conocimiento y raciocinio, puede llegar a hacerlo sobre las bases siempre movedizas de la pura rebeldía violenta, en cuyo caso el gobernante habría cavado su propia tumba del peor modo posible, de una forma destructiva para sí mismo y para la sociedad, y no constructiva, como José Vasconcelos había soñado hacerlo, e incluso comenzó a llevarlo a la práctica cuando se lo permitieron.

Ese período, por desgracia, no había sido demasiado largo, no el que él necesitaba para llevar a cabo sus amplios planes de alfabetización y culturización del pueblo, pero aunque así fue, desgraciadamente, al menos su obra pudo ser iniciada y quedó ahí, como ejemplo de lo que deberían hacer los educadores si los gobiernos se lo permitieran.

Hoy en día, por fortuna, México es un país con mayor nivel cultural que nunca, como lo son otros pueblos, y puede codearse orgulloso con cualquier otro en ese sentido. En gran parte, gracias a Vasconcelos y a hombres como él. Pero hubo un tiempo en que las cosas no fueron así.

E incluso en la actualidad, por buena que sea, siempre existe un «mejor», una forma de superar problemas de índole educativa y cultural, no ya en México, sino en muchos otros países, sean latinoamericanos, europeos, asiáticos o africanos, tanto da. Las noticias que los actuales medios de comunicación nos ofrecen cotidianamente así lo demuestran día tras día.

El mundo se puede mejorar mucho, muchísimo. Las raíces del hambre y de las enfermedades, por ejemplo, también se hallan en la propia cultura de esos pueblos. A mayor educación de las generaciones, mejor nivel de vida. Del mismo modo que se enseña a muchas sociedades, desde la niñez incluso, a matar o a manejar un arma, se las debe enseñar a leer, a escribir, a ofrecerles estudios que les permitan desarrollarse por sí mismos y progresar como pueblo.

José Vasconcelos ya sabía de todo eso entonces. Hoy en día, si viviera, se lamentaría sin duda de tanto tiempo como se está perdiendo. Y el que se perderá.

Tercera parte
El Hombre

Capítulo Primero

— «Ulises Criollo» —

GRANDES personalidades de todo el mundo se han ocupado, a lo largo de los años, de la personalidad de José Vasconcelos, no ya solamente desde el punto de vista estrictamente literario o filosófico, sino de él como ser humano, como persona.

Muchas coincidencias se han dado en elogiar su figura, y se han escrito apologías formidables que hacen justicia a sus dimensiones humanas, tan fuera de lo corriente como lo serían sus pensamientos filosóficos o sus revolucionarios métodos pedagógicos.

Todo en Vasconcelos resulta nuevo, distinto, original. No copia a nadie, no trata de seguir los pasos a nadie, y si en lo filosófico es capaz de enmendarle la plana a Nietzsche o a Kant, y de seguir a Pitágoras o a Plotino en aquello que más le acerca al pensamiento de esos grandes hombres, en lo humano es único, no permite que nadie coarte sus iniciativas ni ponga freno a sus ambiciones personales, que rara vez tienen algo de egoístas, puesto que son sanas ambiciones encaminadas a mejorar su entorno, su sociedad, su mundo en suma.

Es precisamente ese José Vasconcelos el que hace afirmar, por ejemplo, a un hombre de la altura de Hernán de Keyserling, cosas como aquella de que «José Vasconcelos es el ideólogo más original que hasta hoy ha habido en América Latina. Es el pensador más representantivo de esa misma América».

Keyserling decía esto en sus *Meditaciones Sudamericnas*. Del mismo modo, en una publicación como *L'Amerique Latine*, en Francia, ya en 1931 se decía de él:

> «El señor José Vasconcelos, hombre de Estado mexicano, profesor y apóstol, y uno de los grandes maestros que han contribuido a la orientación de la joven generación de la América española. Escritor cuyo nombre ha atravesado todas las fronteras, de México a Chile, pasando por toda la América Central, y cuya aureola de noble pensador ha brillado también en París, aun antes de su llegada.
>
> Es considerado como uno de los creadores de la Nueva América, uno de los que mejor pueden ayudarla a encontrar su verdad, su ideal y el camino que a todo ello conduce.»

Que eso se escribiera de él en Francia da idea de la admiración que en todos los países despertó tanto su obra como su persona, ya fuera en su América natal, ya en Europa o en cualquier otro lugar del mundo. Ciertamente, Francia fue uno de los países que más y mejores homenajes dedicó al pensador mexicano, prueba evidente de la altísima categoría de éste, si tenemos en cuenta que por entonces París era no sólo centro y cuna del arte, sino también de la propia cultura.

No hay exageración alguna en esos elogios vertidos sobre su figura, porque José Vasconcelos mereció eso y mucho más, evidentemente.

Por algo fue llamado por los estudiantes de toda la América Latina «maestro de las juventudes de América». No era un simple elogio, era un título de justicia plena, otorgado al hombre a quien todos consideraban como su maestro y como un ejemplo vivo a seguir por todo americano orgulloso de su raza y de su origen.

Su «Ulises Criollo», escrito y publicado en 1935, en pleno exilio —como casi siempre—, tiene mucho de simbólico respecto a su propia persona, ya que su periplo infatigable, que le llevaba de tierra en tierra, de continente en continente, de país en país, pero siempre lejos del suyo propio —su Ítaca particular—, tuvo mucho en realidad de Odisea, y ese deambular constante le inspiró sin duda este título para una de sus obras más importantes, y que en realidad iba a servir, entre otras cosas, para que su propio pueblo, y otros muchos, todos aquellos que él visitaba, le considerasen como el «Ulises Criollo» a que aludía en su obra.

Sí, él era aquel Ulises a juicio de muchos, y no les faltaba razón en bautizarle así, a fin de cuentas. Era una novela, sí, pero una novela casi autobiográfica, en la que él mismo se veía reflejado con claros matices. Y la gente le identificaba como el héroe de aquella novela, escrita tal vez como esa intención desde uno de los numerosos puntos de su largo exilio.

Otros han escrito en torno a Vasconcelos, afirmando que él encarna el ideal totalizado, armonioso y preciso, que él enseña la filosofía tonificante y exaltante de los pueblos latinos de América, pero que también representa por sí solo una parte de la conciencia del mundo.

Son, como se ve, panegíricos admirables, que retratan a la perfección al escritor, al pensador, al filósofo, pero sobre todo al hombre. Ese gran propulsor del indigenismo mexicano que fue José Vasconcelos ha dejado honda huella en todos, pero muy especialmente en la juventud, que tal vez sea la que mejor le entiende, porque él fue quien mejor entendió a su vez las inquietudes de esa misma juventud.

Se ha hablado de «Ulises Criollo» como de una novela o posiblemente de una autobiografía del propio autor, y esta última afirmación parece hallarse más próxima a la verdad cuando se leen sus otras tres novelas escritas en el período comprendido entre 1936 y 1939, precisamente los últimos años de su prolongado exilio tras la derrota electoral que truncó su camino político.

Esas tres obras son en concreto *La tormenta,* de 1936, *El desastre,* publicada en 1938, y finalmente *El proconsulado,* de 1939. Esos tres títulos, unidos al primero de *Ulises Criollo,* del 1935, forman realmente una crónica autobiográfica en cuatro volúmenes, a la que más tarde, ya en 1959, añadiría un quinto y último título, *La flama,* que parece completar la tetralogía de la obra y de su propia vida.

La obra completa en sí no es solamente un relato autobiográfico, sino un profundísimo estudio sociocultural del México moderno, en el que va quedando patente, paso a paso, la paulatina pero inexorable evolución de su autor hacia posiciones más conservadoras que las que mantuvo anteriormente.

Como se ve, José Vasconcelos no se limitó a ser un magnífico y renovador pedagogo o un ilustre filósofo creador de una nueva filosofía, sino que supo abordar con igual acierto y estilo cualquier género literario, desde la novela a la biografía, el ensayo, la crónica literaria e histórica, e incluso el teatro.

Hombre, pues, polifacético, capaz de hacerlo todo bien, no merece sino plácemes por su obra, tan amplia como diversa, aunque haya pasado a la posteridad, sobre todo como gran filósofo y como maestro de generaciones.

También ha quedado muy profundamente marcada, como ya hemos dicho anteriormente, la huella de su pensamiento personal basado en la exaltación de los valores autóctonos iberoamericanos, inspirados todos ellos en la tradición indígena y en el mestizaje, que eran a su modo de ver y entender un auténtico «puente de razas futuras», ateniéndonos literalmente a lo que él dijo al respecto y que supo mantener contra viento y marea, para sorpresa de muchos, admiración de algunos y motivo de orgullo para quienes mejor supieron entender su mensaje.

* * *

Así, pues, tenemos al José Vasconcelos Hombre: simplemente eso, «hombre», ser humano, persona, por encima de toda otra definición o clasificación personal, profesional o vocacional, perfectamente definido y retratado por quienes le conocieron y admiraron.

Ya hemos visto que no sólo su continente, su patria, su gente, le elevó en el pedestal de la gloria, sino que a ello se sumaron muchos otros países, incluso de diferente mentalidad e idioma, porque tal vez la humanidad del hombre, del pensador, del escritor, del ideólogo, no conoce fronteras ni idiomas, y todo eso son barreras que el pensamiento humano puede salvar sin dificultades.

Hay que retrotraerse a los años 20, apenas terminada la Revolución, para encontrar al Vasconcelos posiblemente más humano y sencillo, porque por entonces él era solamente un profesor, un maestro para nuevas generaciones, a quien Obregón había nombrado secretario de Educación Pública.

Vasconcelos se encontraría entonces con las duras secuelas de aquel período revolucionario, que había logrado dejar en todo México más analfabetos incluso que en tiempos del tristemente conocido porfiriato. Se enfrentó, pues, a la tarea de alfabetizar a una sociedad que hasta entonces había vivido preocupada solamente por luchar, matar o morir, lejos de toda inquietud cultural, para las que no hubo, en realidad, ni tiempo ni ocasión en todos aquellos turbulentos años.

Por eso se vio obligado a diseñar un plan de educación muy amplio, un programa tan ambicioso como radical. Obregón tuvo el detalle, al darle el nombramiento —entonces eran tiempos buenos entre ambos hombres—, de obsequiarle a la vez con una nueva sede para impartir la enseñanza.

Se trata de un hermoso edificio de estilo colonial, en el mismo centro de la ciudad de México, de tres plantas alrededor de otros tantos patios. La construcción se inició en junio de 1921 y pudo ser inaugurado solamente un año más tarde, en julio de 1922, lo que da idea de las prisas puestas en su edificación.

Fue, sin duda, un ejemplo brillante y admirable de la gran energía y del dinamismo organizativo de los primeros tiempos del período posrevolucionario. Ya en mayo de 1921, cuando Vasconcelos no era aún sino rector de la Universidad, había empezado su tarea de proteccionismo artístico, encargando murales públicos con los que llenar los inmensos espacios vacíos de las paredes de los edificios oficiales. No es de extrañar, por tanto, que apenas tomado posesión de su nuevo cargo, y verse con aquel nuevo edificio, procediera a continuar su tarea de mecenazgo de artistas que habría de llevar posteriormente a México a ser cuna de los mejores muralistas del mundo.

Ya en esos inicios quedaba claro el afán renovador y educativo del Vasconcelos de sus primeros tiempos, que había de sentar cátedra de gran educador y de hombre obsesionado por suministrar cultura al pueblo llano. Seguirían luego sus nuevos y revolucionarios métodos, al llevar a la calle la enseñanza y convertir a sus propios alumnos en nuevos maestros encargados de culturizar a los analfabetos.

Todo aquel vasto plan educativo, que sus roces y enfrentamientos con Obregón iban a quebrar de repente, no se sabe bien hasta dónde hubiera llegado, de haber tenido Vasconcelos tiempo y ocasiones para desarrollarlo íntegramente, como era su sueño.

Pero las cosas fueron así, y ésa es una de las incógnitas que nunca se sabrán, porque todo lo que pudo haber sido y nunca llegó a ser es algo que siempre se queda en el limbo de lo ignorado.

De todos modos, gracias a él fueron muchas las cosas que se consiguieron en el campo de la cultura, como el hallazgo de los grandes genios de la pintura mexicana —Rivera, Orozco, Siqueiros—, y el aumento del nivel educativo de la nueva generación, a la vez que la difusión de medios de enseñanza por todo el país, obra eminentemente suya.

Después, ya serían otras cosas las que configurarían la imagen de Vasconcelos, como su obra literaria y sobre todo su pensamiento filosófico. El hombre que fue a lo largo de su vida abogado, escritor, conferenciante, periodista, maestro, historiador y filósofo, es el José Vasconcelos que conocemos realmente. Ése es el hombre, y no otro, y de ello debemos facilitarnos todos.

Después de aquellos felices años en que se volcó materialmente en su tarea pedagógica inmensa, y donde puso su imaginación al servicio de los nuevos métodos de enseñanza que tan necesarios eran, dada la situación de alfabetización casi nula del país, le llegarían las decepciones, profundas decepciones muchas de ellas, originadas por su modo de ser, independiente y enérgico, que le enfrentó a los que ostentaban el poder. Sus discusiones con Obregón habían sido muchas, pero siempre solían terminar con la aceptación por parte de éste de las sugerencias e ideas de Vasconcelos.

Sin embargo, cuando llegó el inevitable enfrentamiento por sus diferencias políticas y sociales, fue cuando todo se derrumbó, y Vasconcelos, antes de ceder y hacer las cosas como los demás querían, optó por la dimisión y el exilio.

Ése, como él mismo narraría luego en su genial *Ulises Criollo*, era el momento en que iniciaba su particular «odisea», tras una guerra, si no era precisamente de la Troya, sí tenía mucho de heroica al tener que enfrentarse al poder.

El paralelismo entre el héroe de Homero y él fue evidente en muchos aspectos, aunque su largo viaje hasta el retorno definitivo a casa no tuviera la épica dimensión del mítico personaje griego.

José Vasconcelos, el «Ulises» mexicano, no dudó en atravesar todos los mares de aquel largo exilio, visitar las islas misteriosas y fantásticas que para él podían ser los países distantes del suyo, no ya solamente en lenguaje sino en mentalidad, y su gesta indudable es que, como el esposo de Penélope, supo conquistar todo aquello, y prestó oídos sordos a los cantos de sirena, que en este caso fueron, a no dudar, las tentadoras ofertas de algunos personajes oficiales de México, su país natal, para que olvidara rencillas y diferencias y volviera a su patria.

Claro que deseaba volver a su patria, bien claro lo dejó escrito en su libro, el primero de la famosa tetralogía autobiográfica, pero no a cualquier precio ni pasando por encima de sus propios valores personales, que para él tenían más fuerza que ninguna otra circunstancia.

Ésa fue, a no dudar, la gran virtud de José Vasconcelos, una más entre tantas otras como adornaban su persona: no dejarse sobornar jamás, ser fiel a sus principios y a sus ideas, aun sacrificando una obra que hubiera llevado a cabo de mil amores.

Pero ello no fue posible, y así Vasconcelos se vio en la obligación de iniciar su estancia en los Estados Unidos, desde donde haría numerosos viajes a otros países, tanto durante aquel exilio de 1924, que no era el primero que sufría, ya que anteriormente habían existido ya los de su marcha tras la caída de Madero y posteriormente tras formar parte del gabinete de un gobierno tan efímero como sería el de Eulalio Gutiérrez, tras la Convención Revolucionaria de Aguascalientes.

Era su propia, larga y particular «odisea», dividida en varias partes, como si fuera una auténtica creación homérica y no la simple biografía de un hombre digno de mejor trato por parte de aquellos

93

que veían en él a un ilustre pedagogo, literato y una personalidad intelectual fuera de toda duda. Pero todo aquello no bastaba en cuanto llegaba el momento de encararse con los poderosos por alguna razón.

El ejemplo con Venustiano Carranza es bien claro en ese sentido. Tras confiar en él tan ciegamente como para encomendarle difíciles misiones representativas en países muy diversos, no dudó en ordenar su arresto por el simple hecho de que Vasconcelos se atreviera a verter determinadas críticas sobre su modo de ejercer el poder legislativo de la nación.

Cierto que Carranza era hombre autoritario, como demostró sobradamente durante su mandato, muy distinto al que los revolucionarios partidarios suyos habían pensado antes de llegar a la silla presidencial, y que Vasconcelos no era hombre que se dejara dominar ni controlar por nadie, pero eso no justifica que se renunciara a una capacidad como la suya para cualquier tarea intelectual e incluso diplomática.

Sin embargo, eso es lo que sucedió, y lo que obligó a Vasconcelos a ausentarse nuevamente de su país, en esta ocasión hasta su regreso junto a Obregón, con quien se labraría su inmenso prestigio como educador, «maestro de la juventudes de América», como tan bien le definieron sus propios alumnos.

Pero el eterno «Ulises» que era Vasconcelos no había llegado aún a su Ítaca particular, y de nuevo en 1924 hubo de exiliarse, hasta el regreso en 1929 para participar en las elecciones de tan ingrato recuerdo para él, tanto por su propia derrota en las urnas, como por el trágico suceso que se llevó por delante la vida de Álvaro Obregón, su antiguo amigo —y antiguo enemigo también, paradójicamente—, víctima de la sangrienta «revuelta de los cristeros» provocada por la intolerancia religiosa de Elías Calles y su camarilla.

Esa nueva ausencia de su país —la última, eso sí— iba a ser la más prolongada, pero la que terminaría definitivamente con la «odisea» personal del «Ulises Criollo», y en definitiva con su retorno a México, convertido en uno de los filósofos y pensadores más prestigiosos del mundo.

Era el final de su largo periplo, de exilio en exilio, y ya nada ni nadie iba a apartarle de su amada tierra mexicana, a la que intentaría en todo momento dar lo mejor de sí mismo, en forma de su encendida defensa de los valores raciales nacionales y de toda la América de habla española, de la que fue siempre el más fiel y entusiasta abanderado ante el mundo entero.

Pero vale la pena seguir más de cerca ese largo y difícil período de la vida y obra de José Vasconcelos, y por ello vamos a intentar seguirle en ese proceloso mar homérico en que se vio inmerso, posiblemente sin desearlo, y que no concluiría hasta ver al fin ante sus ojos la Ítaca definitiva que pusiera fin a tan magna y dolorosa odisea.

José Vasconcelos como rector de la Universidad, 1920. Hemeroteca Nacional.

José Vasconcelos en su despacho de la Secretaría de Educación Pública. AGN.

Propuesta de José Vasconcelos como candidato a la presidencia de la República por el partido Antirreleccionista.

José Vasconcelos.

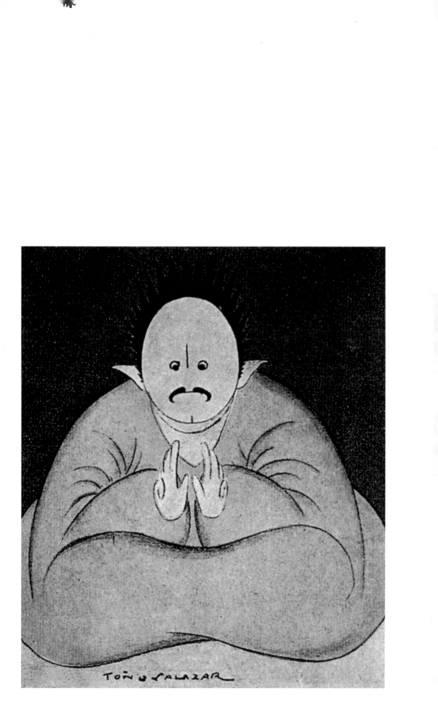

Toño Salazar: *Caricatura de José Vasconcelos*.

Juan O'Gorman: *Mural de la Historia de México,* detalle. Castillo de Chapultepec. INAH.

José Vasconcelos y Diego Rivera en un acto oficial en el bosque de Chapultepec, 1921. Colección Fototeca INAH.

José Vasconcelos con el presidente Álvaro Obregón y Alberto J. Pani. Hemeroteca Nacional.

Capítulo II

— «Odisea gloriosa» —

Lo que José Vasconcelos definiera para retratarse a sí mismo como «Ulises Criollo» tiene su sentido, y bien claro. Basta con retrotraerse una serie de siglos —muchos—, hasta el VIII antes de Cristo, que es cuando nació Homero, de quien no se sabe mucho más respecto a su fecha de nacimiento, realmente perdida en la noche de los tiempos.

Téngase en cuenta que la figura de Homero ha sido a veces, incluso, tachada de imaginaria, y que nunca existió ese fabuloso creador de grandes mitos, por lo que obras como *La Ilíada* y la *Odisea,* serían simple fruto de cantos populares recogidos a lo largo de los siglos.

Pero da la impresión de que esa teoría es absolutamente falsa, y que Homero existió realmente, aunque tan poco sepamos de él. Incluso su lugar de nacimiento es discutible, y no hay muchas evidencias que apunten en uno u otro sentido, aunque modernos estudios parecen apuntar a la cultura jónica en Asia Menor y sus islas adyacentes como lugar donde Homero llegó al mundo.

Homero fue, sin duda alguna, el más grande poeta épico de su tiempo, y el más antiguo de todo Occidente. En su primera obra, *La Ilíada,* que consta de más de quince mil versos, se relata el agravio que Agamenón, el general griego, infligió a Aquiles, el caudillo troyano, al quitarle una esclava.

Ello provocaría la sangrienta guerra de Troya. Parece ser que, pese a la aparente unidad de toda la obra, hay en ella incluidos elementos micénicos e interpolaciones que nunca introdujo Homero, lo que ha dado lugar a muy interesantes y complejos estudios críticos de la obra, de los que han llegado a surgir hallazgos arqueológicos de suma importancia para estudiar la Antigüedad.

José Vasconcelos era un lector atraído desde siempre por el tono heroico y épico de la obra de Homero, pero dedicó especialmente atención a su segunda obra, por considerarla, tal vez, más llena de significaciones y simbolismos que la primera. Es decir, la *Odisea* fue su favorita, y no solamente la revisaba con frecuencia, sino que muchos de sus fragmentos e incluso resúmenes de la gran obra homérica fueron materia de enseñanza en su período de secretario de Educación Pública, entre 1921 y 1924.

En la *Odisea,* Homero narra a través de veinticuatro cantos que suman poco más de doce mil versos, las aventuras de uno de los personajes de la *Ilíada,* concretamente Ulises, quien ha de iniciar el regreso a Ítaca, su patria, donde le espera Penélope, su fiel esposa, tejiendo pacientemente, acosada por varios pretendientes que dan por muerto al esposo.

Este argumento es el que ha dado pie a suponer que es obra más reciente que *La Ilíada,* puesto que para entonces ya ha terminado la guerra de Troya, y es como la segunda parte de la misma, aunque esta vez centrada en un personaje que no era protagonista en su anterior trabajo.

La anécdota argumental es la que da pie a incontables episodios y narraciones mitológicas, a cuentos populares de la Antigüedad, que han llegado así hasta nuestros tiempos.

Pero ambas obras son algo más que un simple relato versificado de héroes mitológicos, épicas peripecias y narraciones de fantasía e imaginación. Cada una de ellas tiene su propia identidad y su significado concreto, como han creído ver muchos estudiosos de Homero.

Aparentemente, *La Ilíada* pretende ser la epopeya de un período histórico de una sociedad y de unas instituciones ya en franca decadencia, mientras que la *Odisea* es el poema del individuo, de la propia audacia del hombre en el vasto y riquísimo mundo que le rodea. Es la creación de un entorno de personajes que han logrado sobrevivir a través de los tiempos, e incluso han sido recreados por muy distintas literaturas y muy diferentes autores.

Los poemas homéricos fueron compuestos originalmente en versos, concretamente en hexámetros, para ser cantados o recitados, por lo que su transmisión a través de los tiempos fue sin duda oral, lo que explicaría la variedad de lengua y estilo en algunas de sus partes, debido sin duda a refundiciones y aportaciones ajenas a la obra original.

José Vasconcelos, como buen conocedor del mundo y las criaturas homéricas, al trazar una parte de su propia biografía, no dudó en recurrir a un símil que le relacionara con las desventuras de un personaje concreto de Homero, precisamente aquel que mayor dimensión humana poseía a su juicio: Ulises.

Por ello mismo, buscó un paralelismo entre su propia odisea personal y la del héroe de Homero, y siempre orgulloso de su mestizaje, que tanto defendía como valor del hombre y de la raza, no dudó en llamar a la primera parte de su amplia obra autobiográfica precisamente así: *Ulises Criollo*.

Era una especie de homenaje personal a Homero y a su obra, pero sobre todo a aquel personaje con cuyos sinsabores se sentía tan identificado en el fondo, al comparar su propia andanza por el mundo, sin poder pisar la tierra patria, con el guerrero avezado, que, pese a su heroicidad y grandeza, no puede pisar Ítaca, como una maldición de los dioses a los que ha irritado.

Pero del mismo modo que la odisea de Ulises encierra valores de heroísmo, sacrificio, dolor y nostalgia, entre otras muchas cosas de honda dimensión humana, la propia «odisea» de José Vasconcelos rezuma no solamente todo eso, sino al mismo tiempo un afán creativo, constructor, que le alejes, de todo desaliento, como pudo sucederle, por ejemplo, al Ulises homérico, a quien ni tempestades, ni furias de dioses, ni magias, ni hechicerías, ni siquiera tentaciones —recuérdense los cantos de sirena de la *Odisea*, con Ulises atado a un mástil y los oídos tapados— lograron apartar de su rumbo.

En su modo y manera, tampoco Vasconcelos se deja tentar por canto de sirena alguno, ni desfallece porque surja ante él cualquier

Polifemo de turno o cualquier hechicería obra de sus enemigos y de sus detractores, o de su propia debilidad y decaimiento ante el distanciamiento de la tierra propia.

Así, como Ulises mismo, navega contra viento y marea, se adentra en aguas desconocidas, y mantiene siempre su nave a flote sobre las más turbulentas aguas, luchando contra los dioses perversos de la intolerancia, la incomprensión e incluso, ¿por qué no?, la envidia, que es un pecado inherente a todo ser humano, sobre todo aquellos ruines que niegan su valía a los que la merecen.

Por ello, repasando así por encima sus distintas épocas de exilio, sus diferentes ausencias forzosas de su país, vemos que durante el primero de sus exilios, tras la caída de Francisco Madero, sabe esperar pacientemente el momento del retorno a México, cosa que no lograría hasta la creación del tan breve Gobierno Convencionalista del general Eulalio Gutiérrez, para formar parte de aquel fugaz gabinete.

La alegría dura poco, porque en 1915, tras caer ese gobierno, se ve forzado de nuevo al exilio, pero ya entonces, durante ese exilio, no se mantiene solamente a la expectativa sin más, sino que de su pluma surge, en la tierra extraña donde se ve obligado a vivir, una de sus primeras obras filosóficas, en torno a uno de los grandes pensadores que gozan de su total predilección. Así, edita en 1916 *Pitágoras, una teoría del ritmo,* donde ya apuntaba con claridad las directrices previas de su movimiento filosófico futuro. No contento con ello, da a la luz igualmente en ese período su ensayo sobre un tema que le preocupa hondamente, y lo titula *La intelectualidad mexicana.*

Todavía antes de volver a México, al triunfar el movimiento revolucionario de Agua Prieta, en Sonora, escribe *El monismo estético,* una de sus obras capitales, su crítica histórica y literaria sobre su país, *El movimiento intelectual contemporáneo de México,* escrita en 1916 también, lo mismo que su obra teatral *Prometeo vencedor,* de igual fecha.

Como se ve, una fructífera etapa la de Vasconcelos, tanto como filósofo o ensayista, como en su faceta de dramaturgo —algo poco desarrollado por él a lo largo de su vida literaria—, y en ocasiones como crítico, historiador e incluso novelista o autor de cuentos breves, que de todo ello hay en abundancia en su obra creativa.

Entonces se da el nuevo regreso a México, y su nombramiento como rector de la Universidad Nacional, desde junio de 1920 a octubre de 1921, fecha en la que Obregón le nombraría secretario de Educación Pública, cargo en el que se mantuvo con el papel destacadísimo que ya conocemos, hasta julio de 1924.

Es en ese período en el que alterna su creatividad literaria con la enseñanza, escribiendo su obra *La caída de Carranza. De la dictadura a la libertad,* en 1920. Ya antes, en 1919, escribe *Divulgaciones literarias.* Después, en 1922, edita *Orientación del pensamiento en México,* y en 1924, coincidiendo con su caída como secretario de Educación Pública por su enfrentamiento personal con el presidente Obregón, publica *La revolución de la energía (los ciclos de la fuerza, el cambio y la existencia).*

Como se ve, su fecundidad es tanta durante sus períodos de alejamiento forzoso como durante su labor educativa en México, lo que da idea de la capacidad de trabajo que siempre mantuvo José Vasconcelos en todos los momentos de su vida, sabiendo encontrar tiempo para todo en un verdadero alarde de laboriosidad y de entrega a su trabajo.

Todo parecía ir hasta ese momento sobre ruedas, y parecía como si el fantasma de un nuevo exilio estuviera ahora muy lejos de él.

Pero las cosas no iban a ser tan fáciles, ni mucho menos, y justamente cuando empezaba a sentirse seguro de sí, en aquel trabajo educativo en que centrara tantas esperanzas, por el bien de la cultura de su pueblo, de nuevo su destino volvió a jugarle una mala pasada.

Así volvió de nuevo al exilio. Ulises regresaba a llevar a cabo una nueva etapa de su interminable odisea. Era como volver a empezar, no se sabía por cuánto tiempo.

Esta vez, la peripecia de Vasconcelos por aquellos mares de su personal epopeya iba a durar cinco largos años. Y lo peor es que tampoco iba a ser la última.

* * *

Abandonó México el 2 de julio de 1924, con la esperanza de regresar pronto. La derrota de Obregón en las elecciones siguientes parecían confirmar esas ilusiones, pero las cosas iban a seguir derroteros muy distintos a los imaginados por Vasconcelos, ya que tras la caída de Álvaro Obregón subiría al poder el nuevo presidente, Plutarco Elías Calles, un antiguo porfirista de oscuro pasado.

Su régimen lanzó su propio programa revolucionario, pero en el fondo esa pretendida revolución no era tal, sino una nueva forma de oligarquía calcada del régimen de Porfirio Díaz. Pero como se llamaban a sí mismos «revolucionarios», Elías Calles pensó que necesitaban una revolución para estar a la altura de las circunstancias.

Pero las fuerzas reaccionarias de Díaz se habían dispersado ya hacía mucho tiempo, y no había opositores que estuvieran bien organizados ni fueran identificables con la auténtica Revolución. Incluso Estados Unidos aceptaba reconocer a la nueva administración estatal mexicana, privando así a la supuesta revolución de un enemigo bastante considerable. A Calles solamente la quedaba el problema de la reforma agraria, todavía pendiente en muchos casos.

A fin de cuentas, la redistribución de la tierra era una de las cuestiones más urgentes a resolver, así como la más reivindicada en el programa electoral del nuevo gobierno. La verdad es que esa reforma agraria era la única aspiración por la que millones de mexicanos habían luchado durante años y años.

Ya habían pasado los tiempos en que los indios que hicieron la Revolución tuvieran que recorrer kilómetros y kilómetros, descalzos y harapientos, sin bocado que llevarse a la boca incluso durante más de doce horas, para acudir a cualquier mitin donde un general revolucionario, ya retirado las más de las veces, y que se había apropiado de cientos de hectáreas, les echara un sermón absurdo sobre la gran importancia de la reforma y la inminencia de la redistribución de las tierras.

De modo que Elías Calles intenta tímidamente esa ansiada reforma, al tiempo que se enfrenta con los poderes eclesiásticos, prohibe a la Iglesia el ejercicio de cultos y dicta órdenes que controlen el consumo de bebidas alcohólicas.

Los «cristeros» o creyentes católicos, así llamados popularmente, se revuelven contra el Gobierno, y los problemas de México empiezan a prolifrar, mientras José Vasconcelos, en su nuevo exilio, contempla con dolor y desesperanza esa serie de acontecimientos que vuelven a prolongar su ausencia del país por mucho más tiempo del que él hubiera previsto, ya que sus ideas sobre la religión difieren totalmente de las de Elías Calles, y sabe que apenas pise territorio mexicano sería apresado por orden del nuevo presidente, como persona peligrosa para su política.

De modo que el exilio sigue adelante. La odisea de José Vasconcelos, el «Ulises Criollo», prosigue sin cambios, y el pensador y escritor se refugia una vez más en su propio trabajo, como evasión ante tanta decepción y desaliento. Y la nueva época de alejamiento de su país iba a dar también sus frutos, como compensación a tanta contrariedad y tantos factores adversos como se estaban cruzando en su camino.

En 1925 escribe *La raza cósmica*, así como en 1926 su obra de gran relevancia *Indología*, ambas enfocadas hacia un mismo denominador común, muy propio del pensamiento de Vasconcelos: la exaltación de los valores autóctonos iberoamericanos, inspirados en la tradición indígena, y ese mestizaje, motivo de tanto orgullo para él, al que considera «puente de razas futuras».

Es, por tanto, un período donde parece dejar un poco de lado su labor puramente filosófica, para centrarse en el estudio, análisis y defensa de los grandes valores que para él representa el mestizaje hispanoamericano y su enorme trascendencia en las virtudes de todas las razas de la América Latina.

Y es tal la fuerza con que aborda esta cuestión, que una de sus constantes y que, junto a la creación filosófica, iba a darle mayor realce a su persona y a su obra, es precisamente esa dedicación tan especial a un tema que le apasionaba y del que fue en todo momento un ardiente defensor.

Capítulo III

— Ítaca —

E N la realidad cotidiana, y por fuerza prosaica, Ítaca no es sino una pequeña isla de Grecia, situada en el mar Jónico, junto a la Cefalonia, frente al golfo de Patras, que es la mayor del grupo de las llamadas islas Jónicas.

Son islas casi paradisíacas, dedicadas sobre todo al cultivo de vides y olivos, pero según Homero, esa pequeña isla, Ítaca, era la patria de Ulises. No es que sea totalmente fiable la identificación de la isla de este nombre con la mítica homérica, pero al menos es la única que existe con ese nombre hoy en día, y que se halla en las regiones donde según su narrador tuvo lugar la epopeya de la *Odisea* de Ulises.

Pensamos, no obstante, que Homero siempre jugó con la mitología, con los símiles, con las imágenes e incluso con las metáforas como lugares muy comunes en su inventiva de fábulas. Así, pues, ¿quién nos puede asegurar que *su* Ítaca sea realmente la isla griega de ese nombre, o un simple lugar ideal, una patria ficticia y legendaria, cuna del gran héroe?

Sea como sea, aceptamos que Ítaca fue simple y llanamente «la patria de Ulises», sin más. Real o no, imaginaria o auténtica, era su tierra propia, aquella a la que pertenecía, donde estaba su familia y a la que deseaba volver, por encima de todas las cosas, desafiando incluso la furia de los dioses.

Esa misma metáfora, sin duda, la hizo suya José Vasconcelos en su exilio, cuando se denominó a sí mismo un nuevo «Ulises». Para él, sin la menor duda, «Ítaca» era su México natal, su patria. Y a él quería volver, por mucho que se opusieran los hados adversos, como en la gran fábula de Homero. A él, no obstante, también le tocaba vivir su propia personal odisea antes de conseguir llegar a puerto, y bien que lo sabía cuando inició su famosa autobiografía en varios volúmenes.

Dejamos anteriormente a Vasconcelos en uno de sus numerosos períodos de alejamiento, voluntario o forzoso, de su tierra natal, deambulando por el mundo como un navegante sin rumbo que intentara enderezar, de algún modo, la ruta de su nave. Concretamente, lo hemos seguido hasta el exilio marcado por sus divergencias con Obregón y su distanciamiento ideológico e incluso teológico con sus respectivos sucesores.

No es que uno pretenda entrar o salir en las decisiones de Elías Calles en cuanto a la religión, ya que el presidente mexicano consideraba que la Iglesia mantenía un exceso de privilegios y de prebendas en la sociedad civil de su tiempo, con los que decidió acabar de un plumazo, y tal vez en cierto modo no le faltara razón al gobernante en la idea de poner freno a la expansión de los intereses eclesiásticos dentro de México.

Pero el hecho cierto es que, para un creyente como Vasconcelos, todo eso constituía un serio obstáculo para desempeñar cualquier tarea dentro de su país, ya que sus pensamientos chocaban frontalmente con los de la clase dominante en aquellos momentos.

Por ello su nuevo alejamiento de México se prolongaría hasta el año 1929, en que creyó llegado el momento de luchar por sus principios del único modo que era posible hacerlo: recurriendo a los procedimientos democráticos. Por eso presentó su candidatura a la presidencia, para disputarla fundamentalmente con su antiguo amigo y aliado, el general Álvaro Obregón. Ganara él o Álvaro Obregón, estaba seguro de poder alcanzar una *entente cordiale* con su opositor, si era elegido, o en caso de resultar ganador tendría en sus manos todas las posibilidades de llevar a cabo sus proyectos de todo tipo, desde los políticos a los puramente intelectuales, tratando de cambiar a la sociedad mexicana, modernizar el país en lo cultural y dotando a las clases más bajas de la sociedad de los medios de alfabetización necesarios.

Ya sabemos que su proyecto fracasó, al perder esas elecciones, ganadas limpiamente por Obregón. Pero toda idea de acuerdo se fue definitivamente al traste cuando el «cristero» demente acabó con la vida del ganador electoral, asesinando a Obregón y dejando de nuevo el país en manos del reaccionario Elías Calles, quien no tuvo dificultad alguna en manipular como auténticas marionetas a los presidentes que aparecían de forma oficial ante el pueblo, y que en realidad no eran sino instrumentos dóciles en sus manos.

Ese estado de cosas no era el adecuado para emprender tarea positiva alguna, pensó José Vasconcelos, quien de nuevo hubo de recurrir, en esta ocasión por última vez —aunque también por el más largo tiempo de todas ellas—, al eterno exilio que marcaba su vida como una maldición.

La represión gubernativa en aquellos momentos era muy fuerte, y él hubiera sido una de las primeras víctimas de la misma, de no haber abandonado a tiempo el país, al que ya no volvería hasta 1940, más de diez años después de abandonarlo.

Era como un retorno —uno más— a su retiro personal, dispuesto a volcarse de allí en adelante, y hasta que le fuera posible el ansiado retorno en paz a su amada patria, especialmente en su tarea filosófica, que era la que iba a llenar en mayor proporción sus horas de exiliado.

Por ello en el propio año 1929, el de su breve, fugacísimo, regreso a México para el período electoral, vio la luz su obra *Tratado de Metafísica*, de gran relevancia en su obra escrita, puesto que a través de ella expuso sus teorías primordiales sobre su intento de reivindicación del valor de la intuición emotiva, opuesta a toda forma de intelectualismo, y a la que sitúa en la base de su sistema metafísico.

La idea de Vasconcelos era que su sistema se componía de un monismo fundamentado en la estética, otorgando una enorme importancia al ritmo y una peculiarísima interpretación de las categorías matemáticas, como ya apuntara desde muy joven, por su interés en el pensamiento de Pitágoras y por la notable influencia que Plotino había ejercido sobre él en todo momento.

Sería ese período de su exilio también el que conociera el alumbramiento de los mejores y más importantes títulos en la creación literaria de Vasconcelos, especialmente en su tratado autobiográfico, aunque sin olvidar nunca otras materias, como la historia o la filosofía.

Así, en su haber empieza la más amplia y ambiciosa tarea, con la producción de su gran *Ulises Criollo,* en 1935, seguido por *La tormenta,* en 1936, y *El desastre* en 1938, para concluir en 1939 la primera y gran fase autobiográfica con *El proconsulado.*

Pero al margen de toda esa gran aportación personal y literaria, aún tuvo tiempo para iniciar y concluir su magistral *Breve historia de México,* en 1937, donde acrecentó su valiente postura de enfrentamiento abierto contra el oficialismo de su país, reclamando de forma airada la vuelta a los valores revolucionarios iniciales, los auténticos según él —y según muchos—, sosteniendo contra viento y marea su apoyo decidido al mestizaje indio-español, así como una conciliación de ideas de auténtica libertad, capaces de ayudar a la creación de un auténtico orden nacional, todo ello en la búsqueda de un México nuevo, distinto y mejor. Sobre todo, mejor.

Porque para José Vasconcelos, anclarse en el tiempo era perderlo definitivamente. Rechazar el mestizaje o despreciarlo era despreciar las propias raíces del pueblo mexicano y de toda Latinoamérica, y no molestarse en buscar una libertad verdadera, la libertad del hombre, del pueblo, por encima de todo, era como tirar por la borda toda posibilidad de progreso y de avance, no ya cultural, sino sociológico y moral.

Todo esto da una ligera idea de la talla del hombre que fue en todo momento José Vasconcelos, hombre que ni siquiera en sus exilios, tan numerosos como justificados, dejó de luchar por la grandeza de su país, por el futuro de su patria, por la transformación social y cultural de todo un pueblo que era el suyo, y al que él amaba por encima de todo.

Lástima que muchos gobernantes —demasiados, sin duda— no compartieran la grandeza de espíritu de este hombre, ejemplo de una raza, de un país, de un mundo todo, y su obstinación personal o sus apetencias políticas, no siempre demasiado claras ni justificadas, echaran a perder mucha de la herencia cultural, humana y de pensamiento que José Vasconcelos pudo haber dado a su gente de haber podido seguir más años en contacto con ella, de cerca, ayudándoles a conseguir el ansiado nivel de libertad de actos y, sobre todo, de pensamientos e ideas, que pueden hacer realmente libres a los hombres.

Pero ya se sabe que, en ocasiones, la política es el peor enemigo de la cultura, quizá porque sabe que la cultura, a la larga, puede pasar a ser su peor enemigo. Eso sucedía entonces en México, pero no era nada privativo ni exclusivo de ese país de México, sino de muchos otros. Hoy en día, las cosas siguen igual en algunos lugares del mundo, incluso en los que presumen de modernos y cultos, de modo que, ¿cómo extrañarse de los obstáculos que en su tiempo, en su momento y en su propia tierra, pudiera encontrar José Vasconcelos?

* * *

Así, entre tareas autobiográficas, defensa de su raza y de su pasado, y trabajos filosóficos o de todo tipo, iba transcurriendo la vida de Vasconcelos en los Estados Unidos o en Europa, cuando no en otros países latinoamericanos, que le abrían gustosamente sus puertas, a la espera del momento oportuno para el ansiado regreso, para su sueño de alcanzar la «Ítaca» soñada por su personal «Ulises» de raza criolla, como él mismo quiso definirse.

Sería con la llegada de Lázaro Cárdenas al poder cuando terminaría la última pesadilla de Vasconcelos, dando definitivamente por terminada su personalísima y singular «odisea».

Lázaro Cárdenas era también militar, pero, como Vasconcelos, era un mestizo orgulloso de su condición. Aunque había estado unido sucesivamente a personajes como Obregón —y hasta con Pancho Villa—, Carranza o Elías Calles, y hombre alistado en las fuerzas revolucionarias de su país, con las que llegó al grado de general en 1928, fue gobernador de Michoacán y protegido de Plutarco Elías Calles.

Fue ministro de Gobernación y de la Guerra, sucesivamente en los períodos de 1930-1932 y 1932-1934, así como presidente de la República mexicana entre 1934 y 1940.

Sería durante el último año de mandato de Cárdenas, cuando ya su protector Elías Calles era simple recuerdo y cuando estaba a punto de subir al poder su sucesor, Manuel Ávila Camacho, cuando José Vasconcelos tomó la firme decisión de volver.

Y volvió.

Regresó a su México amado, para no irse ya nunca más de él hasta el fin de sus días. El último exilio había terminado. La última fase de su personal odisea tocaba a su fin.

Ulises, el *Ulises Criollo,* volvía a su Ítaca al fin.

CUARTA PARTE
La Filosofía

CAPÍTULO PRIMERO

— ANTECEDENTES —

YA hemos hablado de las influencias y de las tendencias de la filosofía de José Vasconcelos, pero de un modo somero, breve, y refiriéndonos más a aquellos en cuyas fuentes había bebibo precisamente —Pitágoras, Plotino, Kant, el propio Nietzsche, aunque de modo muy parcial este último—, que a su propio sentido personal del pensamiento filosófico.

Y es que Vasconcelos, como sabemos, no se limitó a seguir una determinada escuela y seguirla fielmente durante toda su vida. Lo que en realidad sucedió es que existieron unos antecedentes previos a la formación de su propio pensamiento, y esos antecedentes estuvieron, como suele suceder siempre en estos casos, en lo que antes habían pensado ya otros.

La diferencia radical estriba en que Vasconcelos, aunque seguidor de Plotino, no pudo nunca ser encasillado como un pensador neoplatónico a secas, del mismo modo que tampoco sería justo decir que él que fue un filósofo pitagórico, ni siquiera kantiano.

Esas ideas previas, anteriores a su tiempo, lo que hicieron fue servir de pilares, de soporte, a su pensamiento y a sus ideas personalísimas sobre la filosofía, hasta el punto de que, en vez de un seguidor o de un alumno, fue todo un creador.

Hubo antecedentes, sí, pero fueron solamente eso: antecedentes en los que inspirarse y seguir un camino, rumbo a su propio modo de ver y de sentir las cosas.

Cierto que en un principio él había adoptado ya la creencia pitagórica de que la clase de universo residía en secretas armonías musicales, motivo por el cual uno de sus pintores protegidos, el gran muralista Rivera, quiso halagarle cuando pintó su *Creación,* añadiendo a su obra la figura alegórica de la Música, en forma de personaje envuelto en una piel de cabra y tocando una flauta de Pan dorada.

Pero del mismo modo Rivera pintó en su mural una especie de historia racial de México, mediante una serie de figuras que representaban a todos los tipos que entraron en el torrente sanguíneo mexicano, desde el indio autóctono al mestizo, y no reflejó en absoluto con ello el sentir de Vasconcelos en ese sentido, por lo que a éste no acabó de convencerle el fresco de Rivera, y menos aún en su alegórica alusión a la Música, que no le parecía en absoluto convincente ni se ajustaba a su concepto de ella.

Era obvio que resultaba difícil, incluso para un hombre con la imaginación creativa de Diego Rivera, entender y representar lo que era el pensamiento del filósofo, y su *Creación,* en este sentido, en vez de conseguir su objetivo de halagar a su mecenas, más bien logró todo lo contrario.

Para entonces Vasconcelos se había labrado ya una solidísima reputación como intelectual, demoliendo los argumentos de Comte y refutando la idea de que todo conocimiento verdadero tenía que ser científico, basado en la descripción de fenómenos observables. Pero sus objeciones a Comte, a no dudar inspiradas en parte por su abierta oposición a todo lo que tuviera alguna relación con el porfiriato, no le condujeron en modo alguno a una filosofía más plausible.

¿Por qué refutaba de ese modo Vasconcelos todas las teorías de Comte y quién era realmente éste? Vamos a ahondar en ello, aunque sea de un modo superficial, porque de otro modo la cuestión podría prolongarse en exceso.

Auguste Comte fue un filósofo positivista francés, nacido en Montpellier el 19 de enero de 1978. Su obra más conocida la publicó entre los años 1830 y 1842, bajo el nombre de *Curso de Filosofía Positiva*. Una posterior unión a Clotilde de Vaux, tras separarse de su esposa, iba a influir de forma decisiva en sus divagaciones seudorreligiosas hacia las que fue derivando más tarde su filosofía.

Se puede destacar entre su obra escrita obras como *Consideraciones filosóficas sobre las ciencias*, de 1825, *Discurso sobre el espíritu positivo*, en 1844, o *Síntesis subjetiva o sistema universal de los conceptos propios de la edad normal de la Humanidad*, en 1856.

Destaquemos que el pensamiento de Comte tuvo su desarrollo durante la subsiguiente evolución al período revolucionario francés, ya que vivió muy de cerca la creación del socialismo en su calidad de amigo y secretario de Saint-Simon, de quien fue así mismo colaborador. Fue un testigo directo de la decadencia del idealismo alemán, así como del desarrollo de las nuevas ciencias.

Serían todos estos elementos los que confluirían en muy peculiar ideología, que él llamó «positivismo», y le movió a considerar que la filosofía no era operación del entendimiento, sino de la colectividad. Más que el propio individuo, venía a decir Comte, quien filosofa es la sociedad entera. Comte entendía por positivo todo aquello que fuera real, útil, constatable, cierto.

Su filosofía positiva pondría al alcance de todas las clases sociales la propia solidaridad social. La moral teológica, afirmaba, era una idea puramente aristocrática y la metafísica, burguesa. Para Comte, por tanto, solamente la moral positiva podía tener validez para la sociedad entera.

Desde este sentimiento moral y de su sociología, pasaría Comte a una especie de religión positiva, en la que el lugar de Dios estaría ocupado por la Humanidad.

José Vasconcelos no estaba en absoluto de acuerdo con todos esos principios, pero menos aún con otros, igualmente del propio Comte que, en cierto modo, habían inspirado formas de gobierno como el tristemente célebre del porfiriato en México. La idea de Estado, para el filósofo francés, era una unidad de ideas orgánicas con un saber más o menos racional sobre el cual construir los modos de convivencia. Según Comte, el Estado se rige por los principios de orden (puesto que mantiene la estabilidad) y de progreso, ya que impulsa el cambio.

Eso le recordaba demasiado a Vasconcelos la filosofía personal de Porfirio Díaz y su concepto de Estado, y le molestaba sobremanera, rechazando así de plano todo lo que afirmaba Comte en ese sentido.

Había otras cosas con las que no estaba de acuerdo con el filósofo de Montpellier, como era en lo relativo a los cambios del espíritu humano, que Comte confundía con Humanidad, según los cuales ese espíritu del hombre se acercaría a su propio modo de ser en tres etapas, llamada «ley de los tres estados». Serían el estado teológico o régimen de los dioses, con fetichismo, politeísmo o monoteísmo; estado metafísico o régimen de las entidades, que duraría desde la Edad Media hasta su tiempo, y finalmente estado de leyes —no de causas—, que se quedaría en las cosas mismas.

Como cualquier pensador puede advertir, todas estas teorías aparecen llenas de equívocos, contradicciones y errores, y entre otras parece ignorar que el monoteísmo es anterior al politeísmo, y confunde lo real con lo útil.

La Sociología —término que inventó el propio Comte en 1838—, entendida como observación de los fenómenos sociales, está dotada de rango superior en la clasificación de las ciencias, en la cual no se consideran, por ejemplo, la psicología ni la teología, entre otras. Por todo ello, el positivismo comtiano, al privar al horizonte humano de sus dimensiones metafísicas y religiosas, desemboca realmente en el materialismo, el escepticismo e incluso el nihilismo.

Y aunque este positivismo de Auguste Comte sea una consecuencia del agnoscismo kantiano y del racionalismo, Vasconcelos, aunque seguidor de Kant en algunos puntos, no puede estar en absoluto de acuerdo con los principios filosóficos de Comte, cuyos argumentos fue derribando uno tras otro.

Tenemos, por tanto, que en los antecedentes filosóficos de José Vasconcelos, aparte aquellos cuyas enseñanzas siguiera, como Pitágoras o Plotino, estaban también los que no coincidían en absoluto con su modo de pensar, como es el caso concreto de Comte, cuyo positivismo tanto le irritaba.

Pero él no era simplemente un seguidor de éste o aquel filósofo, ni tampoco un opositor a las ideas de otros, sino un hombre que
estaba ya fortaleciendo y definiendo su propia postura filosófica, en
la que incluso iba a entrar como parte importante de la misma las
peculiaridades del mestizaje indohispano, que él arrancaba de su
propio contexto histórico para hacer de ellas parte de su propio pensamiento filosófico.

Pero lo que iba a marcar su rumbo definitivo en ese campo
sería su forma de abordar la estética, con una originalidad hasta entonces imprevisible en muchos otros pensadores. Al positivismo opone un idealismo a ultranza, y su afirmación de que
«la operación estética radica en separar las cosas de su ritmo nativo, a fin de incorporar su movimiento al ritmo del alma», iba
a sentar cátedra en el mundo entero, como una de las grandes
novedades filosóficas de la época, con inmensa proyección de
futuro.

Es por todo ello que José Vasconcelos está considerado como el
creador de la filosofía estética. Él siempre prefirió ser filósofo en el
sentido platónico más puro, razón por la cual su magisterio en esa
materia se ejerció, fundamentalmente, a través de su obra escrita y
no de su palabra. Tuvo una manera fuertemente personal de encararse con toda clase de problemas filosóficos, rechazando de plano
todo aquello que le molestaba, sin importarle las reacciones adversas que con ello provocara, y que en ocasiones, incluso, llegaban a
ser extremadamente violentas.

No era hombre que pasara inadvertido o que no provocara po-
lémicas, porque su personalidad misma era propicia a ello, tanto en
el terreno político a veces —recordemos sus enfrentamientos con el
poder oficial—, como en el puramente literario o filosófico, sin olvidar la faceta histórica y étnica, que tanto le preocupó siempre, y
que se empeñó en que formara parte viva de toda su magna obra
pensadora y filosófica.

Filósofos, estudiosos de filosofía e incluso intelectuales de su
tiempo, se enfrentaron a él cuando les irritaban sus conclusiones e
ideas, pero Vasconcelos les hacía frente sin vacilar, siempre dueño
de sí mismo y de sus actos, insobornable e incapaz de sentir desa-

liento ante la adversidad, como tantas veces tendría que demostrarlo a lo largo de su azarosa vida.

Pero lo cierto es que, junto a muchos y muy poderosos detractores, a Vasconcelos no le faltaron seguidores entusiastas, sobre todo los que asimilaban y comprendían sus enseñanzas, para quienes aquel hombre adquiría la categoría de genio, muy por encima de muchos de sus contemporáneos, no ya mexicanos o latinoamericanos, sino incluso de países europeos.

La imagen espiritualista del universo que ofrecía Vasconcelos en algunas de sus obras, formaba parte de sus más íntimas creencias en ese sentido, que venía ya de lejos, concretamente desde la publicación en 1918 de su obra *El monismo estético*, verdadero inicio de su camino filosófico, reforzado en 1924 por su trabajo *La revolución de la energía*.

La estética, según Vasconcelos, no es el tratado de lo bello, sino que consiste en redimir el mundo físico, trocando su ritmo de material en psíquico. Como se ve, por tanto, era un hombre diametralmente opuesto a todo materialismo, y se comprenden sus diferencias con el pensamiento de hombres como Comte.

Toda su obra está vista a través de su concepto del «monismo estético», aunque a lo largo de los años, como es natural, iría depurando su visión del mismo, aunque visto siempre, eso sí, como un reflejo de la continua evolución de la energía cósmica hacia su transformación en belleza.

Muchos de sus críticos han querido ver en su obra excesivas influencias de Pitágoras o de Plotino, y él nunca negó esa posibilidad, añadiendo que no podía sino sentirse orgulloso de haber bebido alguna vez de aquellas fuentes, haber asimilado el pensamiento de pensadores de aquella talla y, más aún de haber sabido evolucionar, aun siendo fiel a esos antecedentes gloriosos, para posteriormente estructurar su forma de pensamiento, su propia línea filosófica, de acuerdo con su modo de ser, de pensar y de sentir, pero siempre sin deja de ser fiel, en el fondo, a quienes fueran sus ilustres maestros del pasado.

Por ello en una ocasión se encaró con uno de sus más feroces críticos, cuando quiso ver en él reminiscencias de Federico Nietzsche, y le replicó agriamente que una cosa era aceptar la visión que ese pensador, tan negativo en otros sentidos, tan destructivo en casi todos, tenía de la barbarie, de la guerra y de la destrucción, y otra muy distinta seguirle los pasos en sus afirmaciones sobre el arte griego, al que él dividía en sus dos vertientes, la de apolíneo y la de dionisíaco, mientras él, Vasconcelos, añadía una tercera faceta a ese arte: la mística.

Para José Vasconcelos, ahí terminaba todo punto en común con el hombre que tan negativas y demoledoras ideas albergaba, desde la «muerte de Dios» como preludio de grandes transformaciones, hasta su búsqueda del superhombre y su nefasta influencia en las doctrinas nacionalsocialistas de su país.

Que Nietzsche hubiera sido un gran pensador y un vitalista indiscutible nada tenía que ver con muchos de sus conceptos, anunciadores de una inexorable crisis de la civilización occidental. Vasconcelos le recordó a su crítico, con cierto sarcasmo, que no debía olvidar que los últimos pensamientos filosóficos de Nietzsche coincidían precisamente con los primeros síntomas de su ataque de locura, del que jamás llegó a salir.

Su crítico, avergonzado, tuvo que reconocer que, en efecto, nada en la estética y en la búsqueda de la belleza universal de la filosofía de Vasconcelos podía ni de lejos compararse con la visión negativa y demoledora que del mundo tuvo el filósofo alemán. Pero cuando le objetó que no podía negar sus antecedentes platónicos, Vasconcelos se limitó a sonreír, orgulloso, afirmando que de eso sí se sentía plenamente feliz y satisfecho, porque Plotino le había enseñado mucho de lo que él ahora sabía. El neoplatonismo de Plotino, por tanto, estaba presente en su obra, influía sin la menor duda en ella, y eso solamente podía ser motivo de orgullo para un pensador, y no precisamente de vergüenza alguna.

Así, pues, tenemos claros los antecedentes filosóficos en que se sustentó la obra vasconceliana, y de los que él se vanagloriaba si se le mencionaban, aunque posteriormente, pese a todas esas influencias, iba a terminar siendo un pensador nuevo, distinto, original, creador de su propia filosofía, lo cual no está, ni mucho menos, al alcance de cualquier intelectual.

117

Cuando todo parece descubierto y, siguiendo la manida frase, «nada nuevo existe bajo el sol», he aquí que la genialidad de un hombre, de un intelectual —genialidad, sí, porque si alguien en toda Latinoamérica ha merecido alguna vez el nombre de «genio», ése ha sido José Vasconcelos—, nos descubre una nueva forma de pensar, basada en la ley del espíritu, en el ritmo de las cosas y del alma. Algo hermoso, y a la vez profundo e intenso, como el pensamiento mismo de su creador.

En una de sus obras, *La sinfonía como forma literaria,* el autor explica y razona sus pitagóricas convicciones sobre las claves universales, contenidas, según él, en toda esa serie de secretas e infinitas armonías musicales.

El ideal de Vasconcelos es, para muchos, un ideal totalizado, armonioso y preciso, y su filosofía tiene mucho de tonificante, capaz también de exaltar a los pueblos americanos. Vasconcelos, en suma, representa para sus más fieles lectores y seguidores, pero a la vez para muchos críticos y expertos en filosofía, una parte importante de la conciencia del mundo.

No son muchas las personas que se han sabido ganar esa estima profunda y universal ni han recibido definiciones tan hermosas y tan elogiosas.

José Vasconcelos es una de esas pocas figuras privilegiadas que lo han logrado. México, su tierra, debe sentirse muy orgulloso de que ello sea así.

Capítulo II

— Creatividad —

NO se puede negar a Vasconcelos, por encima de todo, la gran creatividad que fue, posiblemente, el rasgo más característico de su persona, y ahora no hablamos solamente de su labor filosófica, con ser tan importante y, desde luego, tan creativa como para ser considerada una nueva y original forma de pensamiento filosófico.

No. Es que José Vasconcelos fue siempre un creador. Sus trabajos en cualquier campo han estado siempre presididos por esa inmensa capacidad de creación o de invención que le acompañara durante toda su vida.

Basta con echar una breve ojeada a su biografía, para darse cuenta de ello de inmediato. El ilustre oaxaqueño destacó en todo cuanto hizo y, asombrosamente, todo lo hizo bien y de modo distinto a como lo hubiera hecho cualquier otro. Eso no es creatividad, sino efectividad, ciertamente, pero es que en él se dieron, en singular coexistencia, ambas facetas, como tratando de compaginarse una con otra, en un empeño tal vez ajeno a su voluntad, de hacerlo todo del mejor modo posible, en busca acaso de la perfección absoluta, que parece negada a todo ser humano.

¿Alcanzó Vasconcelos esa perfección absoluta? Posiblemente no, pero anduvo muy cerca de ello, tanto por su tenacidad a toda prueba como por su inventiva, su afición a romper moldes y, sobre todo, lo que hemos dicho ya antes: su asombrosa creatividad.

Veamos, si no, a la persona, al hombre, desde sus inicios mismos: fue abogado, conferenciante, escritor, historiador, ensayista, periodista y filósofo. Eso es mucho, claro. Pero, ¿lo fue todo? No, ya sabemos que no. Fue, al mismo tiempo, profesor, maestro, pedagogo.

«Maestro de la Juventud» le definió la Federación de Estudiantes de Colombia. Fue doctor *honoris causa* por varias universidades, miembro del Colegio Nacional y de la Academia Mexicana de la Lengua. Y por si todo eso fuera poco, fue rector de Universidad primero, y secretario de Educación Pública.

No se puede ser tantas cosas a la vez y ser bueno en todo. José Vasconcelos lo fue. Lo logró, aunque ello parezca imposible. Es más, cuando la labor de un secretario de Educación Pública consiste simplemente en disponer una serie de normas y decretos encaminados a organizar la enseñanza, él no se detuvo ahí ni se conformó con la tarea puramente burocrática de su cargo ministerial.

En vez de ello, nuevamente esa creatividad surgió de forma espontánea. A la Universidad de México le impuso como lema su famosa frase «Por mi raza hablará el espíritu». Y llevó a cabo la tarea que para ello era imprescindible, haciéndose cargo de un vasto plan de educación y enseñanza como a nadie se le había ocurrido antes.

Iniciador de todas las numerosas campañas de alfabetización, impulsor principal en la construcción de escuelas públicas, creador de comisiones culturales, forjador de una eficaz política de formación y distribución de maestros rurales por todo el país, para educar a las capas más bajas de la sociedad.

Saca a la calle la enseñanza, las artes, construye un nuevo edificio como Secretaría de Educación Pública, funda el Ateneo de la Juventud, concibe el escudo y lema que actualmente aún ostenta la UNAM (Universidad Nacional de Artistas Mexicanos). Protege, dirige y orienta a los pintores que darán gloria a México a través de sus grandes murales, y no contento con ello, ante la escasez de educadores y maestros para tan amplia labor, se le ocurre la idea atrevida pero genial de encomendar la enseñanza de los más torpes o menos preparados a grupos de alumnos aventajados, que así se convierten en maestros a su vez, dispersándose por calles, pueblos y barrios para enseñar a los analfabetos.

Todo eso no es fácil que se le ocurra a nadie, por muy entusiasta que sea su labor educativa, a menos que su capacidad creativa no tenga límites y sepa encontrar siempre la solución adecuada para cada problema. Es el triunfo del trabajo, sí. Y de la laboriosidad y el profesionalismo, pero es también el triunfo de la capacidad de imaginar, de inventar, de hallar nuevos métodos y caminos diferentes por donde alcanzar los objetivos propuestos.

¿Qué hubiera sido de la enseñanza mexicana, de no mediar sus diferencias posteriores con Obregón, su exilio y sus posteriores choques con los poderes públicos de su país? Nunca se sabrá, pero es de imaginar que el grado cultural del país entero, la preparación de la sociedad hubiera podido alcanzar límites inimaginables.

Pero ocurrió lo que ocurrió. Y de aquel impresionante educador, nos quedaría luego su «otro yo»: el literato, el escritor, el pensador.

Y en todo ello, una vez más, la creatividad iba a ser su norma, como lo había sido hasta entonces.

* * *

Era tal el talento de este hombre, que su idea del perfilamiento de una auténtica cultura nacional pasaba indefectiblemente por estar apoyada en firmes valores universales que la despojaran de toda idea localista. No, la cultura que él quería para su pueblo era la cultura vigente en todo el mundo y sus raíces debían de ser siempre autóctonas, pero siguiendo los cauces de las corrientes culturales del mundo entero. El mexicano no debía quedarse atrás ni aislarse de esos valores comunes a todos los pueblos, sino que su raza, como él siempre afirmaba, era poderosa, de futuro, que nada tenía que envidiar a ninguna otra.

A los enemigos del mestizaje, a los que minimizaban al hombre por su mezcla de sangres, los desarmó totalmente con sus argumentos, siempre en defensa de los valores de su pueblo. Mientras unas razas y unas etnias mostraban ya signos de decadencia, la raza indohispánica demostraba ser una raza de futuro, un puente tendido al porvenir y abierto a todas las posibilidades.

También esa campaña poderosa, extendida gracias a su obra literaria en ese sentido, fue absolutamente creativa. Vasconcelos defendía criterios personales a ultranza, pero no le bastaba con difundirlos, sino que demostraba de forma fehaciente que tenía razón y que en su raza estaba ese futuro prometedor. La mente abierta y despejada de José Vasconcelos triunfaba una vez más.

Pero con todo y eso, la gran capacidad creativa del hombre cuya vida y obra estudiamos, estaba por demostrar en el campo más difícil y complejo de todos los que él abarcaba: la filosofía.

Ahí sí que parecía imposible inventar nada nuevo ni ver nuevas formas de pensamiento, porque eran muchos y muy grandes los pensadores que le precedieran en la historia, desde la Antigüedad hasta nuestros días.

Pero he aquí que incluso en ese ámbito tan complejo, donde la mente humana ha de trabajar de forma intensa y profunda, donde el pensamiento y el razonamiento pueden seguir influencias ajenas, pero difícilmente encontrar nuevos senderos y nuevas revelaciones, José Vasconcelos supo hallar su verdadero camino, diferente al de todos los demás y, por tanto, profundamente creativo.

Tan creativo, que fue del todo original y le proporcionó la condición excepcional de «creador de la Filosofía estética».

* * *

¿Qué es, exactamente, la Filosofía estética, creada por José Vasconcelos?

No es materia fácil de explicar para el profano, porque ello nos adentra en los vericuetos del pensamiento filosófico, con todas sus divagaciones, a veces abstractas, a veces sumamente complejas, pero vamos a intentar explicar al lector, aunque sea a grandes rasgos, y con el lenguaje más claro posible, cuál fue ese pensamiento y en qué consiste su verdadera originalidad.

Creemos haber mencionado ya uno de los enunciados básicos de ese aspecto filosófico, al decir que la estética, según Vasconcelos, no es el tratado de lo bello, sino que consiste en redimir el mundo físico, trocando su ritmo de lo puramente material, en lo psíquico. El alma de la estética es el amor, que reintegra lo disperso a lo Absoluto.

Según ese enunciado, la función estética es la ley del espíritu, por lo que la operación estética consiste fundamentalmente en incorporar el ritmo de la cosa al ritmo del alma. Vasconcelos, por tanto, concibe la ética como disciplina de vida, como potencia que se traduce en acto.

Conforme a ese planteamiento, el Absoluto es el último y supremo fin de todo lo existente. El antecedente más directo que encontramos del Absoluto de Vasconcelos es, sin duda alguna, el llamado «Uno» de la filosofía de Plotino, aunque visto a través de un prisma algo diferente, al menos en sus conclusiones definitivas.

En su obra *La sinfonía como forma literaria,* Vasconcelos sostenía la tesis de que el arte supone la combinación de toda una serie de elementos heterogéneos que se coordinan en forma no intelectual, sino puramente armónica y estética, para producir elementos y efectos de conjunto, que son inteligibles y sensibles, y que no tienen absolutamente nada que ver con las conclusiones lógicas de la mente.

Expresado de esta forma, no es tarea fácil interpretar todo el fondo y significado de las tesis filosofales de Vasconcelos, pero no es tarea del narrador de esta historia de su vida adentrarse demasiado en las entrañas de su pensamiento y tratar de desmenuzar, siquiera sea superficialmente, toda la hondura de las disquisiciones de José Vasconcelos en materia tan compleja y difícil de definir.

Lo que sí parece claro es que el término de «estética» no fue nunca para él un tratado de lo bello, sino algo mucho más diverso, algo que consiste, en el fondo, en redimir el mundo físico trocando su ritmo de material en psíquico. Según nos dice Vasconcelos, los cuadros que crea la Naturaleza, destinados a desaparecer, son salvados por el hombre, que los conmuta en ritmo, armonía y contrapunto.

Así, el amor, alma de la estética, es la fuerza única que emprende la reintegración de lo disperso a lo Absoluto. La Ley del espíritu, es decir, su función estética, es realizar una coordinación viviente de los heterogéneos, sin sacrificar la cualidad.

Ésos son los principios básicos de la filosofía estética creada por José Vasconcelos, que posee además muchos otros matices que intentaremos analizar, aunque sea de forma somera, para no fatigar al lector, pero de modo que podamos abarcar, como mínimo, los enunciados principales de su pensamiento, si es que ello nos sirve para una mejor comprensión de su creatividad y de su originalidad en esta difícil faceta del literato y del pensador.

Ya dijimos que no es tarea sencilla seguir a Vasconcelos por los vericuetos de su imaginación de hombre culto y erudito, de filósofo capaz de crear una original visión de los eternos problemas del hombre, ya sean físicos o metafísicos.

Pero tenemos que hacerlo, para intentar comprenderle mejor y llegar más al fondo —al menos lo que permita un estudio forzosamente reducido de su obra— de lo que fue el pensamiento vasconceliano en su filosofía estética.

No desarrolló todos sus pensamientos en una sola obra, sino en un número considerable de ellas, como todo un legado para la posteridad que, como buen neoplatónico, cuidó de dejar escrito, constancia fiel de que lo que su pluma transcribía al papel era lo que su mente iba forjando, paso a paso.

* * *

La labor estrictamente filosófica de José Vasconcelos no fue flor de un día ni labor improvisada, sino que en realidad le llevó años enteros de su vida, desde su juventud hasta sus momentos finales. Puede decirse, por tanto, que toda una existencia fue la que dedicó el filósofo a pulir su pensamiento a través de sus obras, en una maduración constante que, como es lógico y natural, fue conociendo también toda una serie de evoluciones en su autor, hasta llegar a una fase final donde se advierte con claridad su tendencia a una orientación política bastante conservadora.

Su *Tratado de metafísica* de 1929, por ejemplo, iba a mantenerse incólume a lo largo de los años, porque era la base sobre la que sustentaba su monismo fundamental de la estética, pero no hay duda, leyendo sus obras de forma cronológica, que, como todo ser humano, van evolucionando muchas de sus ideas, se transforman y alteran, aunque manteniendo los principios sustanciales en los que se basaron desde un primer momento.

Así, pues, nos enfrentamos a un hombre especialísimo, yo diría que excepcional, capaz de alternar su obra literaria, periodística, crítica o de ensayo, con el novelista, el dramaturgo incluso, y que no por ello abandona su línea filosófica ni un momento, ni siquiera cuando las labores educativas de un cargo parecían capaces de ocupar todo su tiempo.

Vasconcelos encuentra tiempo, no sólo para enseñar y educar al pueblo, para transmitir la cultura a las clases rurales más necesitadas de ello, o para proteger las bellas artes, difundir la música, la pintura, el arte en suma, sino también para ir puliendo y perfeccionando sus ideas, sus pensamientos, su propia filosofía, que iba a ser a fin de cuentas la gran, la mayor, creación de toda su vida, tal vez sin él mismo proponérselo.

Pero éste es el hombre cuya vida estamos tratando, cuya obra intentamos analizar, y hay que doblegarse ante él, porque no nos queda otro remedio que admirar su gran capacidad polifacética y, sobre todo, el hecho pasmoso de que todo, absolutamente *todo*, lo hiciera bien, mejor que nadie.

No es de sorprender que en su *Estética* del año 1935 explicara la evolución del universo y la reestructuración de su sustancia cósmica, tanto en el orden físico como biológico y humano. A fin de cuentas, ya diez años antes, en 1925, había dado su primer paso en ese mismo sentido, publicando su libro *La raza cósmica*.

Vemos, por tanto, que Vasconcelos era siempre consecuente consigo mismo y con sus ideas, y que el tiempo podía ir haciendo evolucionar su pensamiento —algo inevitable en un hombre de su capacidad intelectual—, pero que ciertas constantes de su mente eran inalterables en el fondo, y todas ellas iban encaminadas en una misma dirección, que era la de su propia, peculiar y original filosofía,

la que había de convertirle en un ser posiblemente único en la his
toria de toda la América española y, por supuesto, de su México
natal, por mucho que ello pudiera molestar a sus enemigos y
detractores.

Su creatividad, esa enorme capacidad de creación que debemo
atribuirle en todo aquello que llevó a cabo, triunfó en toda línea in
cluso en los aspectos más complejos de su obra, y a ello hay que ren
dirle un merecido homenaje, porque los hombres como Jos
Vasconcelos no abundan en ninguna parte del mundo, y México
puede sentirse legítimamente orgulloso de contarle entre los suyos
incluso a un nivel de auténtico genio.

* * *

Pero sigamos con su obra filosófica, que a fin de cuentas es la
expresión máxima de su sentido creativo, y la confirmación de qu
intentó siempre ser distinto a los demás, de ahí la originalidad d
sus actos, de su obra y, sobre todo, de su personal filosofía.

En otro de los enunciados de su obra filosófica, afirma Vasconcelo
que «las imágenes vivas de las cosas las maneja el espíritu human
en el crisol de su triple *a priori* estético: ritmo, armonía y contra
punto», como ya dejara indicado con anterioridad en otro de su
apartados. Según él, aquí precisamente reside la belleza.

Añade que la operación estética, en esencia, radica en aislar la
cosas de su ritmo natural, a fin de incorporar su movimiento al pro
pio ritmo del alma.

Es una serie de bellos pensamientos los que florecen en la men
te de Vasconcelos en este punto, y su filosofía adquiere tonalidade
de perfecta sinfonía armónica del pensamiento, como un *ballet* ma
gistral de ideas no ajenas del todo a una mentalidad ostensiblement
kantiana en el fondo.

El reino de Vasconcelos, en este punto, es el reino mismo de
subjetivismo, lo que despierta la oposición de otros muchos estu
diosos de la filosofía, que no están en absoluto de acuerdo con él
que, tal vez, temen demasiado la brillantez y grandeza —aparte s
evidente originalidad— del pensamiento magistral del hombre qu

stá demostrando ser capaz de ir más allá que nadie de su época y
le su generación —e incluso de muchas otras—, en la búsqueda de
ınas formas de filosofía absolutamente nuevas y distintas.

Su recorrido ha sido por sendas que otros no habían recorrido
ıntes en absoluto, y que le estaban reservadas a él, como un tribu-
o del destino a una mente preclara, capaz de adentrarse por nuevos caminos y nuevos conceptos que hasta entonces otros filósofos
ıo habían expuesto en sus tesis. Era la personalidad propia de José
Vasconcelos como pensador la que así podía alcanzar sus objetivos
como pensador.

Su forma de abordar la estética no es nueva en sí, pero es origi-
ıal en sus conceptos, y guiado por aquel idealismo suyo, tan pro-
ɔio que le hace desgranar las ideas de forma personalísima. Para él,
como deja dicho, el alma de la estética es el amor, no el tratado de
ɔ bello, y es la única forma capaz de devolver todo aquello que permanece disperso a quien él denomina el Absoluto.

Sobre esa peculiar base cimentará toda la fuerza y amplitud de
u pensamiento filosófico, procurando siempre llegar más lejos y
mejor que cualquiera de sus antecesores.

Capítulo III

— Conclusiones filosóficas —

Y
A hemos visto la importancia que en su concepto filosófico tuvo la inmensa dosis de creatividad que acompañó a Vasconcelos en todas las obras emprendidas a lo largo de su vida, y que le hicieron ser original en todo cuanto abordó.

Como en filosofía no podía ser diferente, tenemos a Vasconcelos también como un pensador distinto, original, del mismo modo que antes tuvimos a un Vasconcelos original en sus métodos pedagógicos, en su obra literaria, en sus acciones culturales e incluso en su forma de ver y entender la política.

Que precisamente esa originalidad fuera también a la vez uno de sus peores enemigos —el ser humano raramente da mérito a quien de verdad lo tiene—, y que le granjeara numerosos adversarios a lo largo de su vida, resulta obvio.

Que muchos de los aconteceres negativos de su existencia —los exilios, pongamos por caso—, tampoco puede extrañar a nadie, conociendo un poco la naturaleza humana y la estrechez de miras de la gran mayoría. De haber sido Vasconcelos un hombre gris, poco dado a romper moldes, dócil y sin inquietudes, seguro que todo le hubiera salido a pedir de boca, y nadie le hubiera creado problemas.

Pero la grandeza del hombre es, precisamente, la de ser fiel a su propia persona, a su modo de ser para, en consecuencia —como dijo ya Shakespeare por boca de *Hamlet*—, ser fiel a sus semejantes.

Y José Vasconcelos, si de algo pudo presumir en su vida, aunque fueran muchas las cosas de que podía sentirse satisfecho, fue precisamente de esa gran virtud humana que era la fidelidad, a sí mismo o a los demás, que en eso no entendía de diferencias.

Y en eso, también, iba a estar su propia grandeza, por encima de las miserias humanas ajenas que pretendieron hacer de él una víctima, tal vez por anular así a quien consideraban mucho mejor que todos ellos y en quien, por esa simple razón, veían siempre a un enemigo.

Sigamos con sus teorías filosóficas, tratando de desentrañarlas aquí en la medida de lo posible, y de una forma que se considere está al alcance de todos medianamente bien y de una forma compresible.

Vasconcelos creyó, ni más ni menos, que había descubierto un órgano estético en el hombre. Este órgano, que según él posee un sentido de orientación y que nos lleva a un equilibrio energético de composición, lo encuentra, o cree encontrarlo, en los conductores semicirculares donde convergen las impresiones cerebrales conscientes y las sensaciones internas —llamadas también cenestesia—, brotando así de este concurso la unidad fundamental del Yo.

Ya en su libro *Metafísica,* editado en 1929, nos dice su autor que «el ser se manifiesta por caminos de emoción existencial». Su compleja tesis filosófica es que en la cosmología emanatista y dinámica que ve Vasconcelos, y que niega implícitamente el sentido de extensión, el universo se presenta como un cuerpo único con irradiaciones emotivas.

Afirma que todo es ser y todo, para *ser,* participa en una misma sustancia, aunque en diverso grado y calidad, según su cercanía o proximidad del Ser Absoluto. Es, en suma, como se ve, una audaz visión cosmológica y metafísica en la que parece llegarse a la conclusión de que todos nosotros somos o formamos parte de lo Absoluto —Dios—, para ser precisamente Dios, para formar parte de su propio ser.

Para Vasconcelos, como vemos, en todo momento se mantiene la firme convicción de que el Absoluto es el último y supremo fin de todo cuanto existe en el universo entero. Ésa es, fundamentalmente, su teoría. A la que se une su seguridad total en que los elementos más heterogéneos se coordinan siempre de forma no intelectual, sino a través de la armonía y de la estética, único modo de producir sensación de conjunto y efectos de tal conjunto, inteligentes y sensibles.

Prosiguiendo con los enunciados de la propia teoría filosófica de José Vasconcelos, añadamos que, según la misma, si la esencia de lo ético es el acto teleoklino que se rige por ciertas normas, ética es, para Vasconcelos, «toda disciplina de vida», como él afirma textualmente.

Es decir, toda potencia que se traduzca en acto. En otra de sus obras, *Ética,* que escribiera el filósofo en 1932, se reconoce con cierta facilidad el plotonismo de Vasconcelos, ya que en ella encontramos su afirmación rotunda de que el Absoluto, último y supremo fin de todo lo existente, atrae al hombre, de forma libre, para que redima y salve a la Naturaleza ciega que sigue sumida en la inconsciencia.

Es decir, que la Naturaleza se halla sedienta de unidad redentora, motivo por el cual se convierte en un dócil instrumento del hombre para que se produzca la transmutación a planos espirituales.

Ésta es, en esencia, la conclusión a que conduce el pensamiento de José Vasconcelos a través de sus razonamientos filosóficos, que aunque, repetimos, influenciados con fuerza por las ideas de Plotino, van luego adquiriendo su propia fuerza y sentido, para liberarse de todo influjo ajeno y adquirir naturaleza propia de absoluta y total originalidad expositiva y descriptiva.

Prosiguen las divagaciones del filósofo en este sentido, y de una forma que se adentra ya en lo que pudiéramos llamar núcleo de total originalidad, de personalísima concepción, que es la que reclama el propio autor al exponer sus tesis.

Por ello no es extraño que, en el terreno puramente filosófico, Vasconcelos reclame el derecho a que se juzguen como originales suyas toda una serie de tesis que a continuación vamos a exponer, tal como él las expuso en su momento, aunque procurando extractarlas cuanto sea posible.

Inicialmente, como principio, se centra en la teoría del *a priori* estético, en la que se afirma que el fenómeno de la belleza obedece a una serie de normas claramente específicas, como son: el ritmo, la melodía, la armonía y el contrapunto, independientes de las formas lógicas de Aristóteles. Aunque visto así se advierte la simple transposición de la estructura musical, lo que hace dudar de la originalidad de esta tesis en concreto.

Sigue la tesis que aborda la teoría de la coordinación mental, encargada, según Vasconcelos, de ligar conjuntos heterogéneos. Para ver más claro este punto, vale la pena que recurramos a un ejemplo fácil de comprender.

Veamos: pongamos en un sector de la mente lo que nos dicen de él la física, la literatura, la química, y de ese modo la labor del filósofo consistiría en saber coordinar todas esas esferas del conocimiento para conseguir algo que no es *logos,* sino armonía.

Así, la verdad, en consecuencia, no es ya la reducción de lo particular a lo general —siempre según el pensamiento de Vasconcelos, recordémoslo—, sino el secreto de la coordinación de valores irreductibles uno a otro, pero que se ligan a través de la vida y la acción, y dándonos como resultado una existencia como armonía.

Insistimos, una vez más, en que no es tarea fácil seguir el curso de los pensamientos de nuestro personaje, porque la filosofía no es, ciertamente, una asignatura sencilla ni lo ha sido nunca, y menos en el plano puramente divulgativo. Pero no tenemos otro remedio que ir exponiendo, aunque sea de esta forma incompleta, superficial incluso, pero lo más exacta posible en cuanto a los contenidos de las tesis del pensador, en este caso concreto nuestro protagonista, José Vasconcelos.

Continuando con nuestro análisis somero y obligatoriamente extractado tanto en contenido como en extensión, abordemos otra de las tesis que el autor insistió en reclamar como propia y original.

Ésta, en concreto, se refiere a aquella que él ya lanzó anteriormente en un conocido ensayo suyo, de título *La Sinfonía como forma literaria,* ocasión que sería la primera en que él abordara ese tema concreto, la afirmación rotunda de que el arte supone la combinación de elementos heterogéneos que se coordinan en forma no intelectual, sino solamente armónica y estética, con la finalidad de producir una serie de efectos de conjunto, que son absolutamente inteligibles, aparte de sensibles, y que no tienen ni remotamente nada que ver con lo que denominamos conclusiones lógicas de la mente.

Ésta es, por cierto, una tesis coincidente en muchos puntos con las de otros grandes escritores y pensadores, e incluso con la de poetas como T. S. Eliot, que las reprodujo con mucha fidelidad más de diez años más tarde, en una de sus obras, la titulada *Cuartetos*.

Al hablar de Eliot nos estamos refiriendo, naturalmente, al gran poeta, dramaturgo y ensayista norteamericano, nacido en Saint Louis, Missouri, en 1888, y fallecido en Londres el 4 de enero de 1965.

Thomas Stearns Eliot, como realmente se llamaba, aunque haya pasado a la posteridad simplemente como T. S. Eliot, fue más inglés de formación y de sentimientos que realmente estadounidense, hasta el punto que casi la totalidad de su vida transcurrió en Inglaterra, cuya nacionalidad, por añadidura, adoptó.

Eliot está considerado como una de las personalidades más cultas e intelectuales del siglo XX, y en cuanto a su calidad poética supuso incluso un amplio mejoramiento de la lengua inglesa y, sobre todo, de la preceptiva poética.

Aun cuando en sus inicios sus versos pudieran resultar más bien satíricos, el poeta fue evolucionando al paso de los años, hasta hacerse más clásico en su perfección formal, y más hondamente poético incluso en el contenido religioso de su obra, en la que se le nota una muy seria preocupación por los temas trascendentales que afectan al hombre.

En 1948 sería Premio Nobel de Literatura, como reconocimiento a su extraordinaria obra poética, literaria y ensayística, además de la puramente dramatúrgica, pero sobre todo por la hondura de su pensamiento y de sus preocupaciones por una trascendencia humana que se acercaba más al campo de la filosofía pura que a la propia literatura de la que él fue ejemplo tan notable.

La obra citada anteriormente, respecto a sus preocupaciones filosóficas, tan afines a José Vasconcelos y sus tesis, y que fue posterior a la propia obra del mexicano —tal vez como implícito reconocimiento a la creatividad de éste y a la hondura de su pensamiento—, se titulaba en realidad, literalmente, *Cuatro cuartetos,* y fue escrita entre 1935 y 1942. Está considerada, precisamente, como la auténtica obra cumbre de su autor.

Y ya en ellas, como apuntamos anteriormente, se pueden ver reflejadas notables coincidencias con las ideas de Vasconcelos en lo relativo a la belleza, sobre la que ambos mantenían ideas muy similares en el fondo y en la forma.

Eliot seguiría preocupándose en su obra de problemas mucho más profundos que la mera poesía o la literatura, con ser básicos en su vida y en sus creaciones, como demostró también anteriormente, en el año 1923 en concreto, al publicar su libro *Notas para una definición de la cultura,* obra en la que el gran poeta norteamericano(?) advierte con gran severidad a la sociedad toda sobre la terrible confusión ideológica existente en aquellos momentos, y que no dejaba de ser premonitora de lo que después ha ido sucediendo en el mundo.

Resulta cuando menos sorprendente que personalidades tan dispares, y tan lejanas en apariencia en lo cultural, como puede ser un pensador mexicano de hondas raíces latinoamericanas y un literato estadounidense de mentalidad puramente británica, pudieran llegar a coincidir en tantos puntos —y tan complejos, por añadidura—, sin que se tenga constancia en absoluto que ni el uno ni el otro pudieran haber sido mediatizados o influidos mutuamente.

Tal vez ello no haga confirmar aquella teoría de que, en el fondo, los genios siempre tienen algo en común, que puede ser su propia genialidad, pero que no resulta tan sencillo de explicar a la hora de encontrarle coincidencias.

A menos que tengamos que aceptar que, como dijo Vasconcelos, todos nosotros, en el fondo, buscamos esa coordinación de valores irreductibles el uno al otro, pero que finalmente están condenados a unirse y formar un todo común por la vida y por la acción, dando por resultado esa existencia armónica de que hablaba el autor.

Otro filósofo norteamericano, éste contemporáneo, Philip Wheelwright, fue uno de los que descubrió esa similitud de ideas en torno a la belleza que compartieron personas tan dispares como el poeta Eliot y el pensador Vasconcelos, y cuya coincidencia, en todo caso, cabe más atribuirla a la influencia del propio Vasconcelos sobre el poeta que de éste sobre el mexicano, ya que las tesis de nuestro personaje fueron muy anteriores —ya hemos dicho que sobre unos diez años antes— a las del Nobel norteamericano nacionalizado inglés.

Ello no es más sino una prueba de la vigencia que ha seguido teniendo, no ya durante décadas enteras, sino incluso sobre generaciones completas, el pensamiento del ilustre mexicano sobre la mente y el pensamiento de los demás.

Su filosofía, es obvio, además de original, está viva. Es de entonces, de ahora, y tal vez de siempre, como lo fue la de sus grandes antecesores, de quienes él había sido en vida seguidor entusiasta y discípulo aventajado.

Por ello, las conclusiones que se pueden sacar en cuanto a la magna obra filosófica de José Vasconcelos, aparte sus méritos literarios, educativos, culturales y de todo tipo, es que México tuvo la gran fortuna de contar entre sus grandes hombres con una de las figuras míticas a las que, si en vida no se les dio el valor que realmente tenían —¡eso ha sucedido tantas veces, en tan distintos lugares del mundo!—, ahora que ya pertenecen a la posteridad y forman parte de la historia y del acervo cultural de un país y de todo un mundo al que defendió por encima de todas las cosas, hay que reconocerle su valía y sentirse orgulloso de que un país pudiera dar a la humanidad a alguien tan importante en tantos sentidos.

Ése ha sido y será siempre el gran valor de hombres como Vasconcelos, siempre luchando contra la incomprensión, contra las ruindades humanas, contra avatares políticos absurdos, contra obcecaciones torpes o contra envidias ajenas, pero que al fin y a la postre acaban alcanzando su objetivo, obtienen su trozo de gloria, aunque tenga ser que cuando ya no están entre nosotros.

A fin de cuentas, ésa es una forma de inmortalidad.

Y José Vasconcelos, se quiera o no, pertenece ya, por derecho propio, a esa estirpe intemporal de los inmortales.

* * *

No sabemos si el lector interesado en cuestiones filosóficas habrá quedado satisfecho de los resúmenes que hemos intentado hacer, con la mejor voluntad posible, acerca del pensamiento de su autor, pero la verdad es que sería del todo imposible abarcar aquí no ya la totalidad de su obra filosófica —que no es nuestra tarea realmente—, sino ni siquiera una recopilación mayor de sus tesis.

Hay que tener en cuenta las intenciones auténticas de este libro dedicado a la persona, vida y obra de José Vasconcelos, y que no son otras que las de mostrar al lector las facetas importantes de su vida, a través de una biografía del personaje, sin adentrarnos en disquisiciones filosóficas que no son del caso exponer con demasiada amplitud, tanto por lo que tienen en sí de complejas para quien no sea un auténtico experto en filosofía, como por las dimensiones de la obra de Vasconcelos en ese sentido.

Sería como si, al pretender trazar la biografía de Cervantes, el biógrafo de turno añadiera a sus textos la casi totalidad del *Quijote* o si, al analizar la figura de Octavio Paz, fueran incluidas en la obra la mayor parte de su producción literaria, realmente exhaustiva y amplísima.

Por ello nuestra única intención al referirnos a sus ideas filosóficas ha sido la de ilustrar su papel en esa fundamental rama del saber humano con ejemplos vivos del pensamiento del autor de todas esas obras que dieron a Vasconcelos el pasaporte a una fama mundial y eterna, ya que filósofos habrá habido muchos, pero no todos pueden ser considerados creadores de una forma concreta de filosofía, como ha sido el caso del mexicano.

A través de todo este apartado dedicado a su obra como pensador, creemos haber dejado bien reflejado tanto al pensador como a su pensamiento, de una forma obligatoriamente limitada, pero lo suficientemente detallada como para poder hacer hincapié en los aspectos más lúcidos y conocidos de su trabajo, en especial todo aquello que le ha permitido ser admirado y elogiado en el mundo entero.

La filosofía de Vasconcelos, como antes la de Plotino, se diferenció, como hemos visto, de la de muchos otros filósofos de cualquier otra nacionalidad en que él no solamente se basaba en ideas ateas o que rechazaran la existencia de un ser supremo en la Creación, sino que hizo hincapié en ese aspecto, admitiendo que todo y todos formamos parte del Absoluto, como Plotino dijo del Uno. Lejos de la tremenda afirmación nietzschiana de que «Dios ha muerto», Vasconcelos le dota de una vida que es parte de la nuestra propia, de cada uno de nosotros y de cada partícula del universo.

Esos pensamientos concuerdan, por otra parte, con sus propias convicciones religiosas, que siempre fueron enemigas del anticlericalismo de ciertos gobiernos de su país —y motivo de algunos de sus obligados exilios—, sino que, como afirman sus historiadores, durante los años postreros de su vida se fue convirtiendo en el portavoz de un conservadurismo católico muy acentuado.

Cosa que, por cierto, no está en absoluto en desacuerdo con su línea de creencias anterior, sino que en todo caso lo que hizo fue magnificarse con el paso del tiempo, a medida que se aproximaba al final de su existencia.

Por todo ello, se trata de una postura muy acorde con él, y muy consecuente con su modo de pensar de siempre, incluso en su juventud, ya que sus ideas revolucionarias nunca tuvieron nada que ver con una forma de revolución radical y antieclasial, sino precisamente eran todo lo contrario: buscaban el perfeccionamiento del hombre a través del conocimiento, de la mejora de las clases débiles, de la ayuda a los pobres, del apoyo a los desheredados.

Todo eso suena a puramente cristiano, y cristiano fue siempre José Vasconcelos, ya fuera como filósofo, como educador o como literato. De modo que no cabe extrañarse de que esa trayectoria suya chocara frontalmente con quienes, con razón o sin ella, que eso ya es otro cantar, despojaron a la Iglesia de todos sus privilegios.

QUINTA PARTE
La Perspectiva

Capítulo Primero

— Retrospección —

ANTES de abordar la última etapa de la vida de José Vasconcelos, tal vez sea el momento oportuno para una retrospectiva de su vida, que nos permita analizar su persona, su figura, de un modo definitivo y concreto, a juzgar por su obra y su modo de ser y de actuar.

Hemos comenzado con aquellos días iniciales en su Oaxaca natal, en 1882, cuando vino al mundo el hombre destinado a ser una de las primordiales figuras intelectuales de su país, por muchas y muy diversas razones.

El hecho de que comenzara sus estudios en los Estados Unidos, concretamente en Texas, es pura anécdota, ya que pese a ello, y pese también a tantas ausencias forzosas de su país como se vio obligado a vivir, pocas personas se puede decir que hayan sido defensoras tan vehementes y exaltadas del indigenismo patrio y de las ventajas del mestizaje, tan denostado por entonces, y considerado por muchos como una lacra que marcaba a la sociedad mexicana, cuando para Vasconcelos era precisamente todo lo contrario: motivo de orgullo y con la grandeza suficiente como para afirmar de ese mestizaje que «por mi raza hablará el espíritu», como fue su lema para la Universidad Nacional de México.

Pocos autores se hubieran atrevido en aquella época a lo que él hizo en 1925, con su obra *La raza cósmica,* presentando al mestizaje indohispano como una raza abierta a todas las necesidades e inmensas posibilidades del mundo del futuro.

Era una visión que rompía con patrioterismos calificados por el propio Vasconcelos de arcaicos, y abría un nuevo abanico de posibilidades a su pueblo, despojándoles de todo complejo de inferioridad, y haciéndole apartarse de las vulgaridades de mucha mentira oficial al respecto.

Que ese modo de pensar le iba a ganar enemigos, era obvio. La «hispanidad» era aún para muchos sinónimo de vergüenza y de rechazo visceral. Frente a todo eso, se alzaba una voz serena, firme, segura de sí, que era la de Vasconcelos, con su insistencia sobre los profundos e indiscutibles valores humanos de todos los héroes de la historia americana, pero sin hacer distingo alguno en sus procedencias respectivas.

El hombre que empezaría como colaborador de Venustiano Carranza, por entonces presidente de México, ganándose la confianza del estadista hasta el punto de representar los intereses de México en toda una serie de países, como Canadá, Estados Unidos, Inglaterra o Francia, logrando impedir además que el dictador general Huerta pudiera ser apoyado internacionalmente, había sido antes partidario acérrimo de Madero y de su Revolución, enfrentándose por ello a Porfirio Díaz y su régimen dictatorial.

Ya en 1909, siendo muy joven todavía, era un afiliado más al Partido Antirreeleccionista que se oponía frontalmente a los métodos del porfiriato, y en 1910 ya era un revolucionario maderista. No se puede negar, por tanto, que el pensador y el educador del futuro no vaciló, en su momento, en ser el hombre de acción que luchaba por las auténticas libertades de su patria, en el puesto en que fuera necesario situarse, y haciendo caso omiso a los problemas que sus decisiones pudieran traerle.

Por ello mismo no resulta nada extraño que, tan fiel colaborador de Carranza, llegado el momento, no dudara en censurar al gobernante por ciertas actitudes de éste con las que no estaba de acuerdo, y que políticamente poco o nada tenían que ver con los principios e ideales de la Revolución que él había defendido junto al actual estadista.

140

De no ser por la soberbia y arrogancia que Carranza había acumulado en su tiempo de poder, haciéndole olvidar sus principios revolucionarios y todo aquello a lo que había jurado ser leal, es posible que la vida de Vasconcelos no hubiera empezado tan pronto a convertirse en aquella «odisea» a que él mismo haría referencia más tarde.

Pero el presidente de México, en vez de aceptar sus críticas y concienciarse de ellas, se molestó hasta el punto de ordenar el arresto del hombre en quien tanto había confiado hasta entonces. Sobrado motivo para que Vasconcelos, decididamente, resolviera eludir la cárcel y eligiera la solución del exilio, a las mismas tierras donde comenzara de niño sus estudios elementales: los Estados Unidos.

El oaxaqueño aprendió de ese duro modo la verdad de que el gobernante nunca desea ser criticado, ni siquiera por sus más leales, y que quien no está incondicionalmente con él, aunque lo haga mal, está contra él. Ha sido siempre uno de los grandes defectos de los políticos con poder. Lo malo es que no es un fallo de esta o aquella época ni de este o aquel país. Es un error general del gobernante, que sigue repitiéndose en el mundo actual, y que basta mirar un poco en derredor para darse cuenta de que quien ocupa la poltrona presidencial de un país sigue cayendo siempre o casi siempre en los mismos fallos dictados por su soberbia, su arrogancia o su falta de visión, como es la cruda realidad, les guste o no a esos gobernantes.

José Vasconcelos, como hombre íntegro y sincero que era, no estaba dispuesto a ser lacayo del poder, sin permitirse una crítica sana llegado el momento, pero eso no le fue posible con Venustiano Carranza, como luego tampoco le sería con Álvaro Obregón, pese a que también gozara de la plena confianza y amistad de ese otro presidente.

En cuanto surgía la crítica espontánea, la censura justificada o la diferencia de criterio, la sensibilidad del gobernante de turno se agudizaba de tal modo que nuestro personaje sufría de inmediato las consecuencias de su valentía y sinceridad. No escarmentó con ello, eso es bien cierto, y continuó terco su personal modo de ver las cosas y de obrar según los casos.

Eso habla mucho de su nobleza y de su honradez, ya que no le importaba perderlo todo, llegado el caso, si algo no le gustaba y se permitía criticarlo o exponerlo abiertamente al que ostentara el poder. Le honra su actitud, y le honra la dignidad con que supo en todo momento aceptar las consecuencias de su modo de ser.

Así que en esta retrospectiva nuestra sobre su figura, lo que más podemos destacar, entre tantas virtudes como acumuló en vida, es precisamente esa: la honestidad, la sinceridad. Algo que nunca ha estado bien visto por quien gobierna, y que tampoco suele tener demasiado éxito entre quienes saben ser serviles «cortesanos» del que manda.

Aun así, era tanta su valía, que alcanzó todos aquellos cargos tan envidiables —y envidiados—, como rector de la Universidad Nacional o secretario de Educación Pública, cargo este último en el que, de haber podido permanecer más tiempo, tal vez la educación y culturización de la sociedad mexicana hubiera llegado a alcanzar niveles impensables, casi míticos.

Porque si en tan poco tiempo —apenas tres años— fue capaz de hacer lo que hizo en el terreno de la pedagogía nacional, y llegar al nivel que llegó con sus métodos, asusta pensar lo que pudo haber sido su obra con un período de tiempo más amplio durante el cual desarrollar sus revolucionarios y originalísimos métodos de enseñanza, así como su inquietud y sensibilidad para extender esa misma enseñanza a capas sociales de las que antes que él nadie en absoluto se había preocupado lo más mínimo.

Sabemos ya, por los detalles que hemos ido dando, que no limitó la educación popular a lo más elemental —aunque esto lo cuidara muy especialmente—, sino que también desarrolló medios inéditos para extender el conocimiento de la música, de la pintura, del arte en suma, de la actividad deportiva, de la educación rural, de la indígena, de la técnica y de la urbana.

Fue editor de libros clásicos en ediciones populares, abrió bibliotecas, centros culturales, estadios deportivos, o de espectáculos populares, centros para música clásica, y no hablemos ya de la forma en que sacó a la calle algunas artes, en especial la pintura en su vertiente muralista.

Uno se pregunta, inevitablemente, qué hubiera sido del arte de la pintura mural, de no estar Vasconcelos en ese cargo. Nadie creía en los muralistas ni en sus técnicas de grandes frescos, ni nadie financiaba o apoyaba a sus creadores hasta que José Vasconcelos fue el titular de Educación Pública, y se dedicó a proteger a personas como Diego Rivera, Orozco o Siqueiros, entre otros muchos, para dotar al arte mexicano de la que iba a ser precisamente su magna obra creativa en el mundo de la pintura: el muralismo.

Sin el decidido esfuerzo de Vasconcelos, mimando y cuidando de los que él llamaba «sus pintores», Rivera y sus compañeros nunca hubieran podido desarrollar sus grandes facultades pictóricas, ya que incluso se llevó a algunos de ellos en excursiones a lugares como Tehuantepec, para que vieran con sus propios ojos la realidad indígena de México que él pretendía inculcar en la obra pictórica de sus muralistas, especialmente el joven Rivera, que no acababa de captar esa realidad, al menos no tan fiel e intensamente como Vasconcelos deseaba, y así logró que el pintor acabara sintiendo la realidad mexicana en toda su intensidad.

Esto es sólo un ejemplo, uno de tantos, de cómo era la labor educativa de Vasconcelos en su cargo. Se le considera, además, el máximo impulsor de la llamada Escuela Rural Mexicana, así como creador de las Misiones Culturales, donde los maestros hacían de su profesión un auténtico apostolado al que se entregaban con alma y vida, alentados por él.

De ese modo la escuela llegaba a convertirse en una auténtica agencia de transformación social, ya que la enseñanza de las clases más desprotegidas hasta entonces permitía asimismo que en lo social todas aquellas personas pudieran mejorar en su escala sociológica, a medida que aprendían más.

* * *

La retrospectiva de su vida y obra, por tanto, ha de pasar forzosamente por esa amplia etapa —amplia en contenido, que no en tiempo—, durante la cual fue capaz de revolucionar los métodos habituales hasta entonces para la enseñanza, y extender ésta a límites insospechados incluso para el más optimista de los mexicanos.

Enfrentarse a un México posrevolucionario, carente de tantas y tantas cosas, y entre ellas, no precisamente en menor grado, la culturalización del pueblo, no era precisamente tarea mínima ni insignificante.

Aquel pueblo había pasado años enteros agarrado al fusil, al machete o al cañón, luchando por sus libertades siempre pisoteadas, y no era tarea fácil enseñarles ahora a manejar el papel y la pluma, ni a desarraigar de sus mentes la violencia en que habían vivido inmersos durante tanto tiempo, sufriéndola en sus carnes o teniendo que practicarla ellos mismos en un esfuerzo desesperado por la supervivencia.

Aquellas pobres gentes, más habituadas a ir detrás de sus caudillos de otro tiempo —no tan lejano por cierto—, como el carismático Pancho Villa en el norte del país, o el mítico Emiliano Zapata en los estados sureños, que a manejar un lápiz o sumar dos y dos o leer unas pocas letras, seguían sin ser educadas y enseñadas, porque los poderes públicos siempre se olvidaban de ellas, pensando solamente en el burgués medio, cuando no en el alto, como sucediera durante tantos y tantos años.

Por eso la llegada de José Vasconcelos a aquel cargo era como una corriente de aire nuevo, capaz de arrastrar todos aquellos polvorientos errores de años, de décadas, de generaciones incluso, como un revulsivo que, aparte demostrar la valía de semejante hombre para la tarea encargada, iba a despertar nuevas ansias de saber y progresar, tanto en las zonas urbanas como en las rurales.

Él se dio cuenta muy pronto de que las poblaciones olvidadas de Dios, lejos de las grandes urbes, estaban tan ansiosas de aprender, o más, que las que ya tenían escuelas, maestros y una enseñanza más o menos organizada. Lo que necesitaban era eso: gente que les enseñara, que se preocupara por ello, que llevara, allí donde no había llegado nunca la cultura, los mínimos conocimientos que todo hombre, obrero o campesino, agricultor o ganadero, minero o albañil, necesita para salir adelante con dignidad.

Por eso centró toda su potencial capacidad humana, que era mucha, en aquella tarea que a los demás se les antojó desde un principio ingente y lejos de su alcance.

—Empeño vano —decían muchos—. Vasconcelos fracasará.

Él no respondía a eso. Fue siempre de los que no utilizaban demasiado la palabra, salvo para escribirla expresando sus pensamientos. Su respuesta fue, sencillamente, trabajar y trabajar, idear métodos, renovar sistemas, buscar los colaboradores adecuados, obtener de los estamentos oficiales las ayudas necesarias para llevar a cabo esa tarea en la que tan pocos creían.

Así, paso a paso, pero sin pausa, fue avanzando por el arduo camino de la culturización de todo un país hasta entonces bastante olvidado por los responsables de la educación pública. Álvaro Obregón había acertado de pleno al elegir a aquel hombre como el adecuado para semejante labor. José Vasconcelos era el milagro hecho realidad, el sueño imposible convertido en algo palpable.

Por ello es tan importante la etapa de su vida entre aquel 2 de octubre de 1921, fecha de su nombramiento como titular de Educación Pública, hasta el 2 de julio de 1924, fecha en la que, desgraciadamente para México —al menos en lo que a pedagogía de su pueblo se refiere—, tuvo que abandonar el cargo por sus diferencias con el presidente Obregón.

Si como político había empezado destacando junto a Madero y otros, en tiempos de la Revolución, lo cierto es que la etapa más resplandeciente de su carrera política hay que buscarla en ese período, precisamente, ya que fue cuando demostró todo lo que era capaz de hacer.

Con sus tres grandes metas por objetivo, como eran difundir la cultura elemental entre el pueblo analfabeto, difundir la enseñanza técnica e industrial, y orientar aquel nacionalismo espiritual y de hispanoamericanismo que tanto amaba, Vasconcelos no sólo fue el gran impulsor de la llamada Escuela Rural Mexicana, sino también el creador de maestros improvisados, convirtiendo a sus alumnos en profesores de otros y convirtiendo su tarea en un auténtico sacerdocio.

Sólo por eso ya fue uno de los más grandes. Pero, paralelamente a todo eso, se iba desarrollando en él con igual fuerza la capacidad literaria y filosófica que, a fin de cuentas, iba a marcar su vida definitivamente, una vez alejado de la política a la que tan noble y eficazmente sirviera.

Ése es el otro gran tema digno de ser visto en esta ojeada retrospectiva de la vida y obra de José Vasconcelos.

* * *

En la política, sin embargo, intentó en varias ocasiones abrirse paso, no se sabe si por ambiciones en ese terreno —cosa harto dudosa en él— o porque deseaba hacer algo positivo por su país y por su gente, y sabía que solamente ejerciendo algún cargo público le iba a ser posible semejante logro.

Así, al verse despojado de su Ministerio de Enseñanza Pública, intentó todavía luchar a su manera, presentándose a las elecciones a gobernador por Oaxaca, su tierra natal.

Triunfó en esas elecciones, y fue por tanto elegido en las urnas como nuevo gobernador de aquel estado, pero ni siquiera llegó a disfrutar de un primer día en su cargo, limpiamente ganado, porque no le fue reconocido el triunfo de manera oficial, sin duda porque el gobierno de Álvaro Obregón pretendía así vengarse de sus diferencias con Vasconcelos, que acababa de renunciar a su cargo.

Ese nuevo golpe bajo a su persona le afectó considerablemente, y entonces, dominado por un sentimiento de amargura y de frustración, resolvió abandonar el país, como ya hiciera en tiempos de Venustiano Carranza, por motivos muy parecidos a los de ahora.

Para desdoro de quienes le habían empujado a esa decisión radical, durante su ausencia del país iba a arrasar allí donde fuera, ya que su popularidad y su prestigio crecían como la espuma, no solamente en su propio país, sino en el extranjero, donde le consideraban posiblemente la figura cumbre del momento actual mexicano y latinoamericano en general.

Fue un período aquél sumamente próspero para él, ya que pudo recorrer Europa y los Estados Unidos, así como otros muchos países americanos, donde celebró conferencias multitudinarias, concedió numerosas entrevistas en profundidad y publicó incontables artículos en la prensa, así como numerosos libros de ensayo, literatura y filosofía.

Fueron los tiempos en que, aparte disfrutar de su título de doctor *honoris causa* por la Universidad de México, lo fue también en las universidades de otros varios países, como Chile, Guatemala, Puerto Rico y El Salvador.

El *Ulises Criollo,* como él se definió a sí mismo, viajó así por muchos lugares donde su interminable odisea, lejos de su amado México, fue dejando la fecunda huella de su paso, de su obra, ampliando horizontes y dejando en evidencia a cuantos le negaban el pan y la sal en su propia tierra.

Se ha dicho desde tiempos bíblicos que «nadie es profeta en su tierra», y eso, aunque pudiera parecer cierto en alguna manera, no lo era del todo en la vida y obra de José Vasconcelos, porque, pese al destierro oficial y a la enemistad de los políticos de turno, el pueblo estaba con él, seguía sus pasos, y mientras sus detractores de siempre le censuraban su postura, eran muchísimos más los que sentían el legítimo orgullo de ser compatriotas de aquel hombre que, ya fuera en la lejana Europa, en los vecinos Estados Unidos o en los fraternos países latinoamericanos, iba cosechando triunfo tras triunfo, reconocimiento tras reconocimiento, homenaje tras homenaje, en un recorrido tan brillante como merecido.

Hasta su regreso a México en 1929, con la pretensión de ser el nuevo presidente de la nación, fue aquel «Ulises» que recorrió incansable las nuevas tierras y los mundos distantes, dejando su impronta en todos ellos.

Pero no alcanzó el objetivo propuesto tampoco esta vez, porque, aparte de no lograr un triunfo en aquellas elecciones, vivió la amarga experiencia de ver morir violentamente a su antiguo amigo Álvaro Obregón, que fue el candidato elegido, por la acción aislada de un «cristero» violento.

Y como lo último que José Vasconcelos podía hacer en este mundo era aceptar el mandato de un hombre como Plutarco Elías Calles, por quien no sentía simpatía alguna, y cuya actitud decididamente anticlerical le hacía disentir totalmente de él y de su política, de nuevo tuvo que volver, como ya bien sabemos, a su éxodo interminable, aunque triunfal siempre, de país en país, pero siempre alejado de su patria, como una maldición del destino contra la que se sentía del todo impotente.

Aunque también sabemos que José Vasconcelos, acaso por haberse refugiado tanto en el fondo de sus pensamientos filosóficos, era fuerte como un roble e incapaz de doblegarse ante nada ni ante nadie, ni siquiera ante la propia adversidad.

Y por ello siguió su camino, siempre hacia adelante, la mirada puesta en sus ideales, seguro de que algún día las cosas serían diferentes, y podría volver a su tierra, a su pueblo, para terminar allí todo lo que había empezado hacía tantos años.

Capítulo II

— Historial humano y literario —

S I de historial humano hablamos, ahí es posiblemente donde mayor cantidad de material positivo hallemos, relativo a la figura de José Vasconcelos, a su persona, al margen de toda su enorme capacidad literaria, educativa y filosófica, cuando no política.

Porque su condición humana es lo que va más allá de lo habitual en personas de su talla. Ha habido grandes genios, figuras grandiosas en su especialidad, que luego, en el aspecto estrictamente humano, en su dimensión como persona pura y simple, han dejado bastante que desear.

Vasconcelos, no. Vasconcelos, por encima de todo, fue lo que fue, que no es poco: una vida al servicio de toda aquella causa que considerase justa. Su sentido de la justicia, por tanto, corrió paralelo al de su originalidad creativa a lo largo de su existencia, pero en tanto esto último es un don intelectual digno de toda alabanza, lo anterior es un don natural, que la persona tiene o no tiene desde el momento mismo en que nace.

José Vasconcelos lo tuvo siempre, desde niño, y se fue engrandeciendo con el paso de los años. Fue, por encima de todo, un hombre justo, capaz de hacer imponer ese sentido de la justicia por encima de intereses personales y de egoísmos propios de todo ser humano, lo que dice mucho en su favor.

Incluso cuando su grandeza estuvo fuera de toda duda y era un hombre reconocido mundialmente como un verdadero genio, él mantuvo una rara fidelidad a sus principios, una humanidad que iba más allá de mezquinas apetencias, de ambiciones personales e incluso de presiones ajenas y poderosas, que hubieran podido influenciar a cualquier otro que no fuese él.

Si obtuvo su título de abogado —justamente en 1907—, no fue tan sólo como un miembro más de la Escuela de Jurisprudencia de México. Aquello era algo más que un título. Mucho más. Era como un símbolo, una representación de sí mismo. Iba a ser abogado de muchas otras cosas, de causas muy diferentes. Mientras otros colegas se adaptarían como cualquier otro a los foros puramente jurídicos, Vasconcelos intentaría ser abogado primero de los débiles, de los revolucionarios, de los oprimidos. Luego, sería abogado de causas todavía más nobles, si es que eso era posible.

Del mismo modo que supo ser abogado de los que se rebelaban contra la tiranía y la injusticia, iba a saber defender los derechos de todo un pueblo. Derecho a recibir educación, derecho a acceder a la cultura, derecho a sentirse libre, derecho a tener su propia fe por encima de todo, sin cortapisas oficiales, por muchos abusos que cometiera la Iglesia como institución poderosa.

Y aun si todo eso era poco. José Vasconcelos fue el abogado de su propia patria en el extranjero, porque hay que reconocer que pocos como él llevaron bien alto el estandarte de México por el mundo entero, sin esperar nada a cambio.

Yendo aún más lejos, fue abogado de lo indohispánico, defensor de una hispanidad puesta en tela de juicio por muchos, defendiendo ante el tribunal de la propia opinión pública de toda Hispanoamérica, las excelencias de ser hijo de un mestizaje que era garantía de futuro para todos y no de vergüenza para nadie.

Tal vez por todo eso, el lado humano de Vasconcelos haya tenido a veces más repercusión aún que el puramente intelectual. Su persona ha superado siempre al literato y al pensador, pese a la grandeza reconocida en éste. El hombre, en suma, ha llegado a superar al filósofo, al escritor, al político.

Esa enorme carga de humanidad hizo del ilustre oaxaqueño lo que realmente fue y ha sido siempre para su país: una gloria nacional a la que es difícil discutir y a la que sería mezquino atacar. Podrá tener sus críticos, por algunas cuestiones discutibles, como su conocido conservadurismo católico, acentuado en su última etapa de la vida. Pero incluso en eso, hay que reconocer que fue fiel a sus sentimientos y creencias, que venían ya de muy lejos, y que llevaron a distanciarle tanto de diversos gobiernos mexicanos y de sus postulados anticlericales.

Lo que no se le puede criticar en absoluto es que fue siempre consecuencia consigo mismo, honrado por encima de todo, insobornable en cualquier aspecto, y lleno de una capacidad asombrosa para afrontar cualquier actividad al servicio de los demás.

Pocos como él mostraron un talento tan diáfano y una preparación filosófica tan sólida para contribuir a perfilar una auténtica cultura nacional, puramente mexicana, pero sin embargo fundada en toda una serie de grandes valores universales.

Eso México se lo debe a uno de sus hijos más distinguidos de todos los tiempos, y cuantos títulos y homenajes haya merecido su figura, en vida o ya desaparecida, se podrá decir que no fueron en absoluto injustos o desproporcionados, y que más bien constituyen una pequeña parte de la inmensa deuda de gratitud que su país tiene para con él.

Fue capaz de ostentar y de predicar orgullosamente, altivamente, el pensamiento verdadero de la América que él amaba, despojada de todo prejuicio y de todo complejo. Se lo reconocieron así países y sociedades muy distintas a la suya, y ése es, quizá, su mayor mérito y su más alto logro.

Si en Francia se le llegó a llamar «hombre de estado mexicano, profesor y apóstol», es porque realmente pensaban que merecía tales calificativos, y no hay en ellos nada de peyorativo ni de cortés, sino simple y llanamente de justicia hacia un hombre que, en sí mismo, era tan justo como merecedor de esos elogios pronunciados por bocas extranjeras, muy distantes de su mundo y de sus gentes.

Y es que la verdadera calidad humana de un hombre no conoce fronteras ni puede ser reducido a un simple nivel local. Vasconcelos

151

era una figura universal, y lo sigue siendo hoy en día, para orgullo del pueblo que le vio nacer y que tuvo en él al embajador más entusiasta y digno de la grandeza de su propio pueblo.

* * *

Analizar el aspecto humano de las personas es, tal vez, mucho más sencillo, sobre todo cuando esas personas no son complejas ni atormentadas, sino lúcidas y transparentes, como fue siempre el caso de José Vasconcelos, hombre sin dobleces ni recovecos, personalidad fuerte pero clara y abierta, incapaz de disimular sus sentimientos ni sus convicciones ante nada ni ante nadie.

Otra cosa muy distinta es tratar de analizar y estudiar su obra, en especial cuando ésta ofrece la complejidad y fecundia del trabajo de un hombre que no se detuvo en una sola faceta del saber humano, sino que fue capaz de dispersar sus preferencias por campos muy diversos de la cultura.

Siempre, eso sí, con la pluma en la mano, dejando constancia de sus pensamientos a través de la palabra escrita, como hicieron, en la medida de lo posible, muchos siglos atrás, los pensadores y creadores que dejaron en sus obras escritas todo cuanto ansiaban legar a la posteridad.

Por tanto, por encima de todo, José Vasconcelos fue un literato. Literato de una pieza, escritor por antonomasia. Otra cosa es que esa escritura suya se bifurque en caminos muy distintos entre sí, sin limitarse a cultivar un solo género, como ha sido el caso de muchos autores.

Así como ha habido dramaturgos, narradores de cuentos, novelistas, ensayistas, filósofos o críticos, cuya capacidad creativa y cuya obra ha sido solamente eso, una especialidad concreta que ellos cultivaron a veces de forma incluso genial, en José Vasconcelos, por contra, se nos da el caso de que es como escritor absolutamente inclasificable, ya que su obra lo abarca todo, o casi todo: la filosofía, la política, la crítica, el ensayo, el teatro, la novela, el cuento o narración breve, e incluso unas amplísimas memorias que relatan su propia vida minuciosamente.

Si a eso añadimos su condición de doctor en Derecho y sus condiciones excepcionales para dirigir la enseñanza y la alfabetización de todo un pueblo, nos daremos cuenta de que, literariamente, estamos ante un verdadero ser excepcional, considerado por ello mismo una de las máximas figuras intelectuales de la América española y en especial de México, pero también a nivel mundial su nombre brilla como uno de los más importantes del mundo de la cultura.

Dar un simple repaso al catálogo de sus obras, sin detenerse demasiado en ninguna de ellas, ya es de por sí una tarea lo bastante amplia y compleja como para no necesitar de más explicaciones. Pero si además de la cantidad nos detenemos a comprobar su calidad, es entonces cuando empezamos a comprender la importancia que José Vasconcelos ha tenido dentro del mundo cultural a todos los niveles, y de su prestigio internacional en todos los campos que cultivó durante su vida.

Su obra escrita es vastísima, de una amplitud poco común, y aunque en su momento dejaremos aquí constancia de su bibliografía completa, no está de más hacer una alusión a sus trabajos, simplemente como anécdota, para darse cuenta exacta de su importancia real, y para que en esta nueva ojeada retrospectiva hacia el autor y su obra entendamos un poco mejor al literato, al hombre que escribió todos esos trabajos, así como a la naturaleza de los mismos, tan dispares a veces entre sí.

Empezó muy joven su carrera literaria, en realidad, si nos detenemos ya en una de sus obras capitales, escrita cuando solamente contaba treinta y cuatro años, en 1916, y sobre un tema precisamente nada fácil, aunque sí iba a ser uno de sus preferidos a lo largo de su carrera: *Pitágoras, una teoría del ritmo.* Esto nos demuestra que ya sus primeros pasos como escritor iban encaminados a la difusión de sus ideas filosóficas, en especial aquellas influenciadas por su máximo maestro, Pitágoras. Curiosamente, del mismo año, 1916, iba a ser su obra teatral, *Prometeo vencedor,* género éste en el que no volvería a probar fortuna hasta mucho después, concretamente en 1946, con otra obra dramática suya, *Los robachicos.*

No se sabe de ninguna otra incursión de Vasconcelos en la escena como dramaturgo, lo que nos hace pensar que él mismo no estuvo nunca del todo satisfecho de su acierto en ese difícil campo que es el teatro. Ello no es nada nuevo, porque muchos otros escritores —entre ellos nada menos que el Premio Nobel Octavio Paz, también gloria mexicana de las Letras— han probado fortuna con la dramaturgia, sin conseguir resultados brillantes en ese género.

Tal vez por ello nunca más hizo otra prueba en la escena teatral, pero en cambio siguió cultivando los demás géneros con eficacia, con brillantez e incluso con genialidad. Así, sus obras en defensa del indigenismo y del mestizaje, con La *raza cósmica* al frente, editada en 1925, fueron varias y todas ellas muy elocuentes. Cultivó con brillantez el ensayo y la crítica literaria, así como los escritos puramente políticos; siguió editando obras de alto contenido filosófico y alcanzó la cima en ese campo con su libro *Tratado de metafísica,* en 1929.

Su *Breve historia de México* es, en cambio, una obra muy posterior, escrita en 1948, y constituye sin embargo un compendio ilustre de todas sus ideas acerca de la raza indohispánica y sus infinitas posibilidades de cara al futuro, como cerrando una tesis avalada ya desde 1925.

De sus cuentos y relatos, menos conocidos los ejemplos de ese género, que muchos consideran «menores», pero que no lo son tanto en cuanto a dificultades literarias, el más conocido de José Vasconcelos es *La sonata mágica,* y lo escribió en 1933, aunque en 1943 volvería a editar otra serie de relatos breves, de los que destacaríamos, sin duda, *El viento de Bagdad.*

Sus memorias, en cambio, constituyen una de sus obras capitales, tanto por sus dimensiones —cuatro volúmenes— como por su contenido e intención. Ahí, a través de ese amplio abanico literario, expone al lector lo que fue su vida, especialmente durante sus repetidos y largos destierros o exilios, empezando su obra en 1935 con su celebrado y famosísimo *Ulises criollo,* para terminarla en 1939 con *El proconsulado.*

Entre ambas obras, había publicado ya en su momento los otros dos tomos autobiográficos, titulados *La tormenta* (1936) y *El desastre* (1938), completando así el relato de su agitada vida política, humana y creativa.

Pero José Vasconcelos no pretendió ser nunca protagonista de nada, sino simple cronista de su tiempo y de su pensamiento íntimo ante las realidades de la vida. Que a ello se añadieran sus inquietudes filosóficas, y que ello le permitiera llegar a ser el creador de una forma concreta de filosofía, la llamada «estética», demuestra que su pensamiento, aparte de fecundo, era altamente original y buscaba siempre la verdad allí donde pudiera estar.

Su único ideal político, llegar a ser presidente de su país, no lo alcanzó jamás. Paradójicamente, la política le negó lo que la filosofía, la historia y la cultura no le negaron jamás. Fue, tal vez, su única y mayor decepción, el solo punto en que sus aspiraciones no sirvieron de nada.

Pero uno no acaba de creer que un hombre como José Vasconcelos pudiera estar destinado simplemente a cumplir una carrera política, ni siquiera convirtiéndose en el máximo mandatario de su país. Es probable, eso sí, que en tan algo cargo hubiera llevado a cabo reformas impensables en muchos terrenos, y que muchos momentos azarosos de la historia de México hubieran dejado de serlo gracias a su obra como político. Pero como eso pertenece al terreno de lo hipotético, de lo que pudo haber sido y nunca fue, vale más pensar que la meta de Vasconcelos estaba en lugares muy distintos a una simple poltrona en el palacio presidencial, que su mundo era mucho más metafísico que el que la política puede ofrecer, aunque con ello, a no dudar, México perdiera tal vez a un hombre prudente, sabio, educador de masas, difusor de la cultura, que llevara con mano firme las riendas del poder, sin apetencias personales.

En ese sentido sí que debieron perder mucho los mexicanos de su tiempo. Pero a cambio de ello, lo ganó la cultura universal, que pudo contar con un historiador, un filósofo, un ensayista, un crítico, un literato, en suma, que lo abarcaba casi todo, y que todo lo hacía bien. Tan bien, que su nombre saltaba fronteras y llegaba a todos los rincones del mundo.

Por tanto, vaya lo uno por lo otro. El que hubiera sido, sin la menor duda, insobornable gobernante, fiel a sus principios para bien de su pueblo, fue lo que fue, que para uno, la verdad, significa mucho más que toda labor política, por importante que ésta pueda ser.

Ese José Vasconcelos que perdió en las urnas, quizá cuando más lo necesitaba su país, y que por ello mismo tuvo que volver a exiliarse, tras el asesinato de Obregón, para dejar que Elías Calles y su camarilla gobernaran el país, con todas sus consecuencias, iba a darnos a cambio, en su último y prolongado destierro, todo cuanto había dentro de él, que era mucho, en forma de obra literaria, de creatividad desbordante, completando así de manera esplendorosa lo que fue una de las más brillantes etapas de su vida.

Para Vasconcelos, los valores revolucionarios iniciales, los que llevaron al pueblo a enfrentarse a Porfirio Díaz, al propio Madero y finalmente a Venustiano Carranza —por no hablar del tenebroso general Huerta, paréntesis terrible de la vida política de su tiempo—, eran necesarios siempre, y pedía que se volviera a ellos, para que los gobiernos cumplieran lo que habían prometido a su pueblo y que nunca llegaron a cumplir del todo.

Eso, unido a sus ideas religiosas, le enfrentaron tantas veces al oficialismo, que hicieron de su persona un hombre incómodo para el Gobierno y para los círculos políticos de México, y no hablemos ya cuando hablaba, en voz muy alta, de la necesaria revisión de la historia nacional, en busca de un México nuevo, distinto, más acorde con su propio ideal de la nación mexicana.

Esos pensamientos no sólo los expresó siempre de viva voz, haciéndose oír en conferencias y declaraciones públicas, sino que dejó constancia de ellos en su obra escrita, como un estandarte más de su lucha contra lo que él llamó audazmente «mentiras patrióticas», sin importarle los enemigos que se creaba con esas palabras.

Capítulo III

MUCHOS son los autores y personalidades de todo el mundo que se han preocupado desde hace bastantes años de estudiar a José Vasconcelos y su obra, abundando las obras escritas en torno a su persona y a su obra, no ya en México o en la América española, sino a nivel mundial, incluso en Europa.

José Vasconcelos no era hombre capaz de dejar indiferente a nadie, de ahí que sean numerosos quienes han intentado profundizar en su pensamiento, en sus creaciones literarias y, a ser posible, en su propia persona.

Se ha analizado exhaustivamente su obra y su identidad como hombre, como político y como historiador de su país y de su raza, desde todos los ángulos posibles, y desde países tan diferentes al suyo propio como puedan serlo los Estados Unidos, Italia, Francia, España y otros países europeos, aunque posiblemente los trabajos más abundantes e intensos giren casi siempre en torno a sus trabajos filosóficos, tan discutidos como apasionantes para los críticos en la materia, que no han tenido otro remedio que alinearse en distintos campos, ya que todo cuanto él hizo en vida fue objeto inevitable de polémica y diferencia de opiniones.

En lo único que todos se han puesto de acuerdo es en la originalidad de sus conceptos y en la hondura de los mismos, aunque su criterio a la hora de juzgarlos difiera de forma notable. A veces,

157

esas diferencias terminaron en agrias disputas entre sus críticos y estudiosos, incapaces de ponerse de acuerdo en determinadas materias y en conclusiones del pensador.

Pero todo esto, a la postre, no hace sino alimentar el mito, dar realce al personaje criticado o estudiado y, por supuesto, a su propia obra, ya que solamente son discutidos a este nivel aquellos que realmente han dejado tras de sí algo de valor.

Resaltan algunos su vida, comparándola con su obra, porque afirman que todo ello estuvo presidido por un mismo factor común: la acción. Para ellos, José Vasconcelos fue un personaje tremendamente activo, tanto en su aspecto humano como en su trabajo, prueba de lo cual ha quedado en la extensión poco usual de su obra, así como en la frenética forma en que llevó a cabo durante cualquier época de su vida toda esa obra.

Esto no deja de ser una realidad indiscutible, porque ya hemos hablado en muchas ocasiones de la inquietud de este hombre único y sorprendente, capaz de sobreponerse a cualquier contrariedad sin dejar su actividad ni un momento, sin soltar su pluma, que siempre parecía tener algo que decir.

Como ideólogo tuvo un puesto preeminente, no sólo por sus argumentos en favor de los indiohispánicos, sino porque para algunos fue el pensador más original que jamás diera la América Latina, y cuya proyección exterior fue más allá que la de ningún otro nacido desde Río Bravo hacia el sur.

Su deambular constante por todos los países del mundo, en una predicación constante del pensamiento de América, pronunciando siempre con orgullo sus frases sobre el tema, ha sido también objeto de admirados comentarios, ya que han sido muy pocos los que han podido exportar sus ideas tan lejos de las fronteras mexicanas y ser oído y comprendido por personas de tan dispares nacionalidades y, sobre todo, de tan diferente mentalidad.

Para quienes han analizado esos aspectos de su tarea, no hay sino una explicación razonable que lo justifique: su pensamiento no es localista nunca, sino universal, e incluso en sus argumentos a favor de las razas indohispánicas de América, aunque pudiera parecer un tema eminentemente local, étnicamente es algo que despierta el interés, tanto de profanos como de científicos, porque es un modo de pensar abierto al futuro, y que afecta, en cierto modo, a muchas otras formas de mestizaje.

Los enemigos de la endogamia, que siempre han pensado que la constante unión de personas de una sola raza entre sí viene a ser como una simple variante de la endogámica norma de esos lugares de escasa población, donde casi siempre los parientes se casan entre sí, y todos tienen lazos familiares más o menos fuertes, estuvieron de inmediato de acuerdo con las tesis de Vasconcelos sobre las excelencias de una mezcla de razas que no puede sino enriquecer a los pueblos, de cara al porvenir, y formar con sus culturas y sus etnias, unidas por ese propio mestizaje, una mezcla saludable, próspera, preparada para el porvenir, sin los lastres del pasado.

A Vasconcelos ese tema le resultaba especialmente arduo de abordar porque chocaba frontalmente, precisamente dentro de su país más que en ninguna otra parte por los prejuicios —en el fondo bastante justificados— de la «leyenda negra» que sobre los conquistadores extranjeros dejaron en el pueblo mexicano.

Especialmente los españoles, con su conquista y sus métodos de dominio de las nuevas tierras, muchas veces tiránicos y despóticos, eran para muchos mexicanos —y de otros países próximos— personas no demasiado gratas de recordar. Cortés y su gente no siempre habían dejado un buen recuerdo de su paso por el país, ni mucho menos, a pesar de la posterior evangelización y del mestizaje producido entre españoles e indígenas, y sin embargo Vasconcelos se atrevía a sustentar, ante esa misma opinión pública, la idea de que había que sacar conclusiones positivas incluso de esos hechos dolorosos, y admitir que, con la mezcla de ambas razas, el pueblo mexicano había encontrado la fórmula para dar al mundo una nueva raza, orgullosa de sí misma.

Es de suponer cómo acogerían los contrarios a la venida de los conquistadores, que eran muchos, las afirmaciones audaces de un José Vasconcelos descargado de todo prejuicio a la hora de aceptar como benéfica esa influencia española en su pueblo, y lo que le costó que la mayoría lo entendiera.

Son esas osadías de pensamiento de Vasconcelos, muchas veces luchando contra corriente, las que han despertado mayor entusiasmo en los estudiosos de su persona y de su obra, porque se dan exacta cuenta de la rebeldía natural del mismo para atreverse a abordar temas que habían sido, hasta su aportación, un verdadero tabú sobre todo ante su propia sociedad.

Pero son precisamente esas temeridades las que configuran mejor que nada la forma de ser, de sentir y de pensar de Vasconcelos, siempre dispuesto a mantener su criterio, sin intentar nunca la provocación —como le acusaban muchos de sus detractores—, sino simple y llanamente exponiendo lo que pensaba.

Aún hoy en día son muchos los que siguen pensando que él se equivocaba y que sus afirmaciones no responden a la realidad, como son también muchos los que le acusan de traidor a su pueblo por defender las raíces española del mestizaje americano. Sin embargo, otros estudiosos se han apresurado a replicarles que él no estuvo nunca en un error al decir lo que decía, y que si alguien jamás pudo ser traidor a nada ni a nadie ése fue José Vasconcelos, porque se limitó durante toda su fructífera vida a sostener una verdad en la que creía ciegamente, y en la que ya fueron muchos después los que vieron una realidad que era imposible negar.

Por todo ello, no hay duda de que incluso hoy en día el pensamiento de José Vasconcelos seguirá siendo tan discutido como siempre, y que tal vez nunca se pongan de acuerdo en su criterio sobre todo cuanto sostuvo Vasconcelos en sus obras, en sus conferencias y en sus numerosos ensayos sobre el tema.

Él lo sabía cuando mantuvo esas afirmaciones, porque lo hacía casi siempre en un ambiente hostil a sus ideas, salvo cuando manifestaba éstas muy lejos de los países que pudieran sentirse heridos por lo que consideraban falta de patriotismo de Vasconcelos, mientras él calificaba a los demás de estrechez de miras y de manipuladores del pensamiento, al negar toda una serie de virtudes raciales que estaban allí, a la vista de todos, sin que tantos y tantos pudieran verlo, a causa de las mentiras oficiales, en unos casos, y de las deformaciones históricas en otros.

* * *

Existen, pues, muy abundantes razones para que José Vasconcelos haya sido un personaje discutido, dentro y fuera de su patria, y no sólo por sus criterios sobre la raza hispanoamericana, sino por sus pensamientos de todo orden, desde los políticos a los filosóficos, pasando por los puramente religiosos.

Todos ellos han sido analizados y desgranados, tanto por detractores como partidarios de sus ideas, y los estudios sobre todo ello han sido publicados en muchos países, existiendo numerosas traducciones de esas obras actualmente en las librerías mexicanas, al igual que en otros muchos países y lenguas.

Ello da fe de la importancia de José Vasconcelos en todos los terrenos literarios que decidió cultivar, tal vez porque sus opiniones e ideas nunca dejaron indiferente a nadie, ya fuera para oponerse a ellas o bien para alabarlas y estar de acuerdo.

Durante sus exilios, acostumbraba a frecuentar los círculos sociales y culturales para dar sus conferencias, que eran una manera de hacer patria en su opinión, aunque los estamentos oficiales de aquel momento no estuvieran precisamente de acuerdo con tal idea. Y los públicos que le escuchaban atentos descubrían en su palabra, en las inflexiones de su voz, en el apasionamiento de su lenguaje y de su gesto, toda la corriente vital, vivificante, que brotaba de aquel hombre, como un manantial de riqueza conceptual, de esplendor cultural, de visión de las cosas, de proyección al futuro.

Muchas veces, cuando fue investido *doctor honoris causa* por alguna de las universidades que le confirieron tal privilegio, al pronunciar su discurso incidía en aquellas ideas que a muchos chocaban por lo audaces, pero que no eran sino el espejo fiel de una serie de pensamientos por primera vez encaminados a glorificar una raza que, sin motivo ni razón, había sido minusvalorada y hasta despreciada por muchos.

Hoy en día, su país, su pueblo, su gente, comprende lo grande de su esfuerzo y de su obra en momentos en los que no era fácil entenderle. El presente actual comienza a ser el futuro que Vasconcelos soñaba para su pueblo, y en la actualidad el hecho de ser mestizo es más un motivo de orgullo y satisfacción que de humillación y vergüenza. Por eso actualmente es cuando se comprende mejor la grandeza de pensamiento de aquel hombre y su enorme visión de futuro, que le condujo a ver más allá de todo cuanto podían ver sus contemporáneos.

En sus artículos periodísticos alternó también muchas de las materias que formaban parte de su acervo cultural y de su opinión, encontrando a veces en las mismas páginas de los periódicos réplicas airadas que negaban su razón, junto a elogiosos artículos que se mostraban de acuerdo con su modo de pensar.

Tanto daba que el tema tratado en su artículo de prensa fuera de naturaleza racial, como si se refería a cuestiones pedagógicas, culturales, históricas e incluso filosóficas. Siempre había alguien para replicarle, y siempre había también alguien para aprobar sus textos y compartirlos.

Ya no hablemos de aquellos temas propios siempre de controversia y apasionamiento, como pueden ser los políticos o religiosos, campos ambos en los que Vasconcelos no dudaba en adentrarse, con la misma valentía que en otros, manteniendo contra viento y marea sus criterios, casi siempre contrapuestos a los oficiales del momento.

Así, se ha estudiado con detalle su ideario político, tan diferente al oficialista en casi todas las épocas, y que le costó no pocos disgustos y dificultades. Pero lo cierto es que también su obstinación en enfrentarse de forma abierta y combativa al anticlericalismo de ciertos gobiernos de su país, le creó numerosas enemistades y no pocos sobresaltos y contrariedades, pero él todo lo aceptaba tal como venía, con tal de no ceder un ápice en su independencia de criterio.

Los que más se han preocupado por la trayectoria de su vida desde sus inicios, otorgándole una gran importancia a los orígenes de su propio pensamiento y de su formación a nivel intelectual, no han podido olvidar que, pese a su nacimiento en Oaxaca y a sus primarios estudios en Texas, en los Estados Unidos, fue en sus principios discípulo —y uno de sus discípulos favoritos, por añadidura— de Justo Sierra, y que al formar parte del Ateneo de la Juventud, tan opuesto desde siempre al positivismo y a la política e ideología de Porfirio Díaz, se alineó desde siempre con quienes luchaban por ideales muy distintos a los del México oficial de su tiempo.

El Ateneo de la Juventud, por entonces, era un centro muy especial, que estaba tratando de impulsar una corriente crítica, que supusiera una total renovación ideológica y política dentro del país, aun luchando en difíciles circunstancias por culpa de las normas inflexibles y severas del porfiriato.

Al unirse José Vasconcelos a ese Ateneo tan significativo, dejaba bien clara su postura desde un principio, bien ajena por cierto al oficialismo, y más bien enfrentada sin paliativos con los poderes dominantes entonces.

Unido poco después a personas como Antonio Caso o Alfonso Reyes, no hizo sino reforzar esas impresiones iniciales y lanzarse a la búsqueda de otra clase de órdenes autónomos de la vida natural, del arte, de lo humano e incluso de las cosas que se refirieran al terreno espiritual.

Son los estudios hechos sobre su persona y su trayectoria en la vida los que realzan esa serie de detalles significativos, de piezas que compondrían poco a poco el rompecabezas de una personalidad, de un hombre, de un político e incluso de un filósofo.

La suya fue, pues, una evolución que se considera perfectamente natural, ya que se parte de sus inicios y va siendo consecuente consigo misma a medida que transcurría el tiempo, por lo que no era de extrañar que llegado el momento crucial de la historia de su país que iba a significar el año 1910, con la Revolución en puertas, él se alienara con esos revolucionarios y, pese a no ser un hombre de carácter violento ni dado a la agresividad física, formara equipo con Francisco Madero, al menos mientras éste fue fiel a sus principios y a la propia Revolución.

Llegado el momento, supo apartarse de él, como se apartaría de Venustiano Carranza, llegado el caso, e incluso de su mejor protector, el general Álvaro Obregón, cuando llegó el momento de mostrarle su desacuerdo con ciertas formas de gobierno.

José Vasconcelos fue, desde el principio, un auténtico revolucionario, en el verdadero sentido de la palabra, sin necesidad siquiera de empuñar un fusil o de utilizar una granada. Lo era por naturaleza, por convicción, y nunca dudó en expresarse revolucionariamente, llegado el caso.

Por eso mismo reclamó siempre, incluso cuando ya no parecía el momento adecuado, la vuelta a los valores revolucionarios iniciales, que para él seguían siendo los auténticos y a los que tantos y tantos gobernantes, que se las dieran de revolucionarios en su día, habían vuelto la espalda por razones egoístas y por intereses políticos nada honestos, al menos a juicio de él.

Eso le alejó de sus antiguos camaradas revolucionarios, sobre todo cuando éstos ostentaban el poder, y dejaban de ser automáticamente los ideales capaces de hacer realidad el sueño de Emiliano Zapata o las exigencias de Pancho Villa.

Él, que formó parte activa, y muy importante por cierto, de la vanguardia intelectual mexicana durante aquellas primeras décadas del siglo XX; él, que fue enemigo del positivismo y del intelectualismo, para alinearse con una nueva generación que nada tenía que ver con las anteriores e incluso con muchos representantes de su propia generación, supo ser siempre quien era al principio: el revolucionario eterno, ya fuera con un fusil, ya fuera con la pluma, que eran las dos formas de entender la revolución que tenía Vasconcelos.

Se puede decir que llevó la revolución a las páginas impresas, que sus libros trataron de ser siempre revolucionarios, en el mejor sentido de la palabra, y la mayor y mejor prueba de ello la tenemos en la cantidad de admiradores que supo ganarse en el mundo entero.

Cierto que también se ganó muchos enemigos, pero incluso de ésos se sentía orgulloso Vasconcelos. Por la sencilla razón de que en modo alguno hubiera querido gozar de las simpatías de aquellos que se declaraban adversarios suyos. Su triunfo, pensaba, era precisamente ése: tener a esa clase de personas como enemigos.

Sexta parte
El Resumen

Capítulo Primero

— Visión global —

Estamos llegando al final de nuestro recorrido por la vida del gran maestro, del hombre que marcó un hito en la historia intelectual y filosófica de su país, de su mundo, de su raza e incluso de su tiempo.

Es lo último, lo mejor y más justo que se puede decir de este vivo ejemplo de reciedumbre humana, de poderío mental, de claridad de ideas y de nuevos conceptos sobre tantas y tantas cosas tenidas hasta entonces poco menos que inamovibles.

Ya hemos mencionado tantas veces lo relativo a su condición de hombre rebelde, original, revolucionario y fiel a sus principios, que sería como caer en la reincidencia sin necesidad, pero es que José Vasconcelos fue todo eso y mucho más. De ahí la huella que ha dejado no ya como uno de los más poderosos símbolos intelectuales de su país, sino de toda la América Latina.

Por eso alcanzó el nivel que alcanzó su obra, y por eso sigue siendo considerado el más importante intelectual que ha dado México y que ha dado todo el continente donde vio la luz, una de las figuras intelectuales que pueden ser consideradas señeras de nuestro tiempo, sin temor a exagerar.

Que se le discuta, es normal. Que se le niegue, también. Siempre les ha sucedido igual a todos los grandes hombres, y tal vez todo eso forma parte precisamente de su propia grandeza.

A él nunca le importó ser discutido, ni criticado, ni siquiera negado. Tampoco le importaría ahora, cuando ya está por encima de todo eso, de amigos y enemigos, de admiradores y críticos, por encima del bien y del mal, en suma.

Lo mejor que se puede decir de él es que ha alcanzado la inmortalidad gracias a su obra, y de eso no son muchos los que pueden alardear en este mundo, y menos aún en terrenos tan complejos como los metafísicos y los filosóficos.

En esta mirada atrás que echamos ahora, para tratar de ver de una forma global su vida y su obra, no sabemos qué admirar más, si su talla humana o su faceta intelectual. Él, que nunca pretendió ser precisamente un intelectual —él aborrecía el «intelectualismo»—, lo ha sido por méritos propios y porque así lo han decidido las generaciones posteriores.

Porque intelectual es quien, al fin y a la postre, utiliza el intelecto para tratar de enseñar a los demás pero sobre todo para sentar las bases de una forma de ser y de pensar, de un modo de ver no sólo la vida, sino el conjunto mismo de las formas y de la materia del universo en que vivimos.

José Vasconcelos hizo eso y algo más. Puso su sabiduría y sus conocimientos al alcance de todos, incluso de los más modestos, porque para él llegó a ser una especie de obsesión su afán por dotar de conocimientos, de cultura y de educación al pueblo llano, al que nunca tuvo acceso a la enseñanza, al pueblo del que siempre se olvidó el mandatario o el educador de turno.

Es por ello que esta visión global nuestra de su persona y de su trabajo tiene que abarcar, forzosamente, no sólo lo que le convirtió en genio original, sino otras muchas cosas. El filósofo, con ser grande y con ser innovador, puede ser quizá lo más importante de Vasconcelos en cuanto a su dimensión intelectual.

Pero a él también le gustaba que la recordaran como lo que siempre fue: el joven díscolo y rebelde primero, el revolucionario convencido después, el político desilusionado de tiempos más tarde, el seguidor decepcionado de aquellos a quienes había considerado «defensores de la Revolución».

Le gustaba, sin duda, ser recordado por los viejos tiempos de la lucha por la igualdad de los derechos sociedades y económicos de todo el pueblo, por la defensa de obreros y campesinos, por la lucha cotidiana para sacar a los ignorantes de su pozo de desconocimientos, pero también de las injusticias y de las opresiones.

Le hacía feliz, por ejemplo, saber que también se le conocía como el hombre orgulloso del mestizaje, defensor de una raza, exponente claro de la defensa de la «hispanidad» contra las mentiras oficiales de algunos y contra las deformaciones de ciertos historiadores. Precisamente iba a ser en ese aspecto en el que se le admirara más, en determinados momentos, incluso fuera de su América Latina.

Tal vez por eso acuñaron en París aquella frase histórica, a él dedicada, que le consideraba como «uno de los creadores de la nueva América, uno de los que mejor pueden ayudarla a encontrar su verdad, su ideal y el camino que a todo ello conduce». No lo decía precisamente un hispanoamericano, ni un americano siquiera, sino un francés, aludiendo a aquel hombre que, en el corazón de la capital francesa, había sabido exponer con tanta claridad su visión de las cosas, tal como él las conceptuaba.

Sí, él luchó mucho porque esa idea suya del mestizaje y del indohispanismo se abriera paso en la mente de las gentes como algo grande y positivo, como para no sentirse orgulloso de ser recordado muy especialmente por ello. Es, posiblemente, lo que más feliz le hubiera hecho. Hoy en día, treinta y tantos años después de su desaparición de este mundo, se sigue hablando de aquel José Vasconcelos que defendió al indohispano por encima de todo, y calificó a la suya como «la raza del futuro».

Ése es uno de los mejores ejemplos de que su palabra, su voz, ya nunca podrá ser acallada por nadie. Se podrá estar de acuerdo con él o no, porque todo el mundo es libre de opinar, pero en lo que nadie puede sentirse en desacuerdo es en el hecho incontrovertible de que, por mucho tiempo que pase, el pensamiento y las ideas de José Vasconcelos estarán ahí, como algo vivo, palpitante, lleno de amor y de fe hacia una raza, la suya, que era su máxima esperanza de futuro.

En lo demás, no resulta nada extraño que sea recordado, porque su obra dejó siempre huella, aun en las peores circunstancias. ¿Quién va a olvidar, no ya en su propio país, sino incluso a nivel internacional, la grandeza de su obra educativa a lo largo de tres años, cambiando radicalmente la mentalidad de todo un país, de un gobierno, de unas instituciones, para bien de los menos favorecidos? ¿Quién puede haber borrado de su memoria el hecho de que un hombre, un solo hombre, con su llegada a Educación Pública, iba a cambiar de la noche a la mañana los métodos de enseñanza, los conceptos de educación, los sistemas de pedagogía, para cambiar la mentalidad de una juventud y de toda una generación?

Es difícil, por no decir imposible, que nadie llegue nunca a hacer tanto y en tan poco tiempo, rompiendo moldes, sacudiendo los cimientos mismos del sistema, para que la cultura y el arte llegaran a todos los rincones, incluso a los más lejanos. Políticamente, fue su única obra, pero no pudo ser mejor ni más fecunda. Eso sí que nadie, ni siquiera sus máximos detractores, han podido jamás ponerlo en tela de juicio.

El oaxaqueño ilustre, el jovencito rebelde y luego revolucionario, ha dejado su impronta en muchas cosas, como estamos viendo en este definitivo repaso a su vida, en forma de breve ojeada retrospectiva que trata de abarcar la totalidad de su existencia y de su obra, siquiera sea a grandes rasgos, como un resumen de lo que fue su generosa y amplia biografía.

El resto, virtualmente, se reduce a sus viajes por el mundo, a su eterno deambular por continentes y países, muchas veces forzado por las ya conocidas circunstancias de sus exilios y destierros, tan numerosos como injustos las más de las veces.

Pero hasta ahora en ese sentido supo ser grande Vasconcelos, dejando en cada una de sus obligadas ausencias de su patria el reguero de grandes obras, de títulos significativos, de trabajos decisivos, cuando no de conferencias, artículos, ensayos o apuntes sobre temas de gran trascendencia nacional y universal.

No parece casual, ni mucho menos, que con cada una de esas ausencias suyas de su México natal, surgieran de su pluma obras tan importantes y decisivas en su carrera y en su creatividad literaria.

Era como una coincidencia, pero estas cosas no suelen ser simplemente eso, coincidencias, sino que se producen cuando el estado de ánimo de su autor ha alcanzado el punto óptimo para que de su mente y de su mano surja el trabajo anhelado.

Así, de su primer exilio, cuando se enfrentó a Venustiano Carranza, después de haber llegado a ser uno de sus hombres de máxima confianza, se sabe poco sobre su obra, porque aún no había madurado lo suficiente como para empezar a ser el Vasconcelos que todos conocerían luego, pero ya firmó algunos escritos o artículos estando exiliado, manifestando los motivos de su desacuerdo con Carranza y con la forma equivocada que éste tenía de entender la Revolución, así como por su línea política, completamente equivocada a juicio de Vasconcelos.

Pero del segundo de sus numerosos exilios, el que le llevó lejos de México nuevamente, esta vez en 1915, tras formar parte del efímero gabinete del general Eulalio Gutiérrez, con el cargo de secretario de Instrucción Pública, sí iban a ir surgiendo ya algunas de sus obras más representativas. En ese período, precisamente, iba a dar a luz su importantísimo trabajo *Pitágoras, una teoría del ritmo*, en el que ya exponía las líneas maestras de la que había de ser su filosofía futura, la obra *El movimiento intelectual contemporáneo*, ambos títulos de 1916, junto con su primera obra teatral, ya mencionada, *Prometeo vencedor*.

Y no hablemos ya de 1918, en que editaría una de sus obras cumbres, principio de toda su filosofía, *El monismo estético*. Todo esto, exiliado de México, adonde no volvería hasta el triunfo del movimiento revolucionario del llamado Plan de Agua Prieta, Sonora, que le permitió el regreso a su país, esta vez con el cargo de rector de la Universidad Nacional, puesto del que tomaría posesión el 9 de junio de 1920, y en el que iba a permanecer hasta el 2 de octubre de 1921, fecha en la que el entonces presidente, Álvaro Obregón, le designaría para su decisivo cargo de secretario de Educación Pública, de cuya labor tanto hemos hablado, inevitablemente, a lo largo y ancho de toda esta obra.

Siguiendo con la historia singular de su poder creativo en épocas de exilio —por desgracia, distaba mucho de haber regresado definitivamente a su país cuando esto sucedía—, no tenemos más remedio que evocar aquí, aunque sea a vuela pluma, sus nuevas incursiones literarias lejos de México, como iba a suceder cuando sus diferencias personales con el general Obregón le obligaron no sólo a dimitir de su puesto en Educación Pública, sino a abandonar de nuevo su país, a otro obligado exilio.

Una vez más, esa desafortunada situación personal de Vasconcelos, iba a coincidir —no se sabe si «casualmente» o no—, con otro de sus grandes períodos creativos, puesto que de su pluma iban a brotar toda una serie de nuevos e importantes títulos que añadirían aún más esplendor a su ya vertiginosa y brillante carrera literaria.

Porque precisamente en ese año de 1924 en que tuvo que salir una vez más de su país, para no regresar hasta el 10 de noviembre de 1928, pero entonces ya como candidato a la presidencia de la República, del exilio de Vasconcelos iban a surgir títulos tan significativos y rotundos como *La revolución de la energía* (*o los ciclos de la fuerza, el cambio y la existencia*) o *Indiología*, en 1926, ambos títulos capitales en sus dos vertientes más destacadas: la histórica en la segunda, con su estudio del indigenismo mexicano, y la filosofía en la primera, con otra de sus piezas fundamentales en el tema.

Y coincidiendo con su regreso fugaz para aquellas elecciones en las que salió derrotado, editaría otra magna obra suya, en la que analizaba profundamente las creencias religiosas de la civilización azteca y estudiaba en detalle la influencia de la hispanidad de los conquistadores sobre el pueblo mexica: *Quetzalcóatl*, editado en 1929, pero fruto de todo su trabajo de estudio durante su ausencia de México durante aquellos años.

Por tanto, seguían siendo fértiles hasta lo increíble sus destierros forzosos de la tierra patria, como una demostración viva y palpable de que nada ni nadie era capaz de doblegar la voluntad férrea de Vasconcelos, y menos aún ponerle diques a su incontenible raudal de conocimientos, de análisis y de afirmaciones, ya fueran históricas, filosóficas o raciales.

Y así llegamos a uno de sus más largos exilios, precisamente el que siguiera a la fallida presencia suya en las elecciones de 1929, ganadas por el poco después asesinado Álvaro Obregón —en beneficio de Plutarco Elías Calles y los suyos—, y que iba a durar casi once años, hasta 1940.

Ese largo período lejos de su tierra natal iba a ser el más fértil y generoso en producción literaria de todo tipo con la firma de José Vasconcelos, ya que de ese tiempo nos dejaría obras tan inolvidables y tan fecundas como representación viva de su personalidad y de su pensamiento.

Así, surgirían de su pluma en esos años libros señeros en su producción, como *La raza cósmica* en 1935, *La sonata mágica* en 1933, y su tetralogía impresionante de cariz autobiográfico, empezada con el título señero de *Ulises Criollo,* en 1935, para continuar sucesivamente con *La tormenta* en 1936, *El desastre* en 1938 y finalmente *El proconsulado* en 1939, cuarto y último volumen de sus memorias.

Posteriormente, ya en México, de vuelta a su país, llegarían otras obras como *El viento de Bagdad* en 1945, su obra teatral *Los robachicos,* la segunda que escribiría en su vida —y la última—, en 1946, o su genial *Apuntes para la Historia de México* de 1943.

Pero esas obras ya no eran producto del exilio, sino de su última y brillante aportación a la literatura, a la historia y a todas sus más queridas inclinaciones literarias y culturales.

Lo que hemos querido reflejar aquí, aun incidiendo en la mención de sus trabajos más notables, es la curiosa circunstancia de que gran parte de su labor, y en ocasiones la más importante y representativa de toda su obra, tuvo que ser pensada, desarrollada y publicada precisamente cuando se encontraba ausente de su amado México, sufriendo un exilio o un destierro casi siempre del todo injusto.

Porque la visión global de su obra y de su persona no sería nunca completa si no se refiriera uno a tan insólito hecho, que ha llegado a hacer pensar a muchos, no sin razón, de que el daño que le hacía el distanciamiento de su patria, el escritor lo pagaba centrándose en su trabajo y, las más de las veces, dedicando a su distante México lo mejor de sus pensamientos, como una demostración de nostalgia y de dolor a la vez, capaces ambos por sí solos de dotar a su obra de una dimensión humana y literaria realmente inconmensurable, que la convertía en auténtica creación maestra.

* * *

Su última etapa, ya residiendo de nuevo en México, entre 1940 y el año de su muerte, 1959, serían ya años dedicados a reforzar la madurez de su propia obra, a ahondar más si era posible en sus estudios filosóficos, sin olvidar nunca el otro tema que le obsesionó durante toda su vida: el histórico.

Por ello, todavía en ese período, que para otro hubiera podido ser de simple reposo, viviendo de las glorias de su pasado, José Vasconcelos prosiguió trabajando infatigable, y de esa última época surgieron obras suyas tan importantes o más que las anteriores. Basta recordar, pongamos por caso, títulos como *Desde la conquista a la Revolución*, en 1943, toda una visión clara y desapasionada de la vida de México, justamente en ese largo período comprendido entre la llegada de los españoles y el momento cumbre en que se promovió el movimiento revolucionario contra la dictadura.

Pero sus últimos escritos fueron ambos de carácter eminentemente filosófico, tema en el que se encerró con mayor empeño en los años finales de su vida, y editando obras como *Lógica orgánica* en 1945 o *Todología*, ya en 1952.

En estas dos obras, como cierre de todo un ciclo, depuraba el autor su visión del «monismo estético» que ya apuntara en su juventud, en 1918 concretamente, como reflejo de la continua evolución de la energía cósmica hacia su transformación en belleza.

Vemos, por tanto, en esta panorámica de su vida y de su obra, que José Vasconcelos fue hombre incapaz de dejarse vencer por un destino adverso, que luchó siempre por sus convicciones con una fuerza demoledora, que supo sacar partido incluso de sus momentos más desdichados y que nunca dio su brazo a torcer ante nadie, consiguiendo siempre cuanto se proponía gracias a su tesón, su inteligencia, su amplísima carga cultural pero, sobre todo, por su capacidad de trabajo y de lucha.

Todo eso le honra y hace que tantas y tantas gentes y pueblos del mundo, aparte el suyo propio, le recuerden como lo que realmente fue: uno de los más ilustres intelectuales que ha dado América Latina, un historiador, político, filósofo, crítico, ensayista y pensador de talla universal, y creador de una forma de filosofía propia, la llamada filosofía estética.

Basta con echar una breve ojeada, con hacer un resumen de su vida y de su obra como el que acabamos de hacer aquí, para entender que, siquiera en parte, la valía de un hombre semejante y la significación de toda su obra.

Es por ello que José Vasconcelos ocupa un lugar destacado y merecido en el panorama intelectual de nuestro tiempo, y que su vida y obra admiran todavía a muchas generaciones.

Pero, lo que es más importante, seguirán admirándolas porque, en definitiva, como él mismo afirmó en su día, para escándalo de muchos, pertenecía a una raza distinta y mejor, a una raza que es, quizá, el presente de la Humanidad ya en gran parte, pero que a no dudar, como afirmaba Vasconcelos, es sobre todo el futuro.

Y él, precisamente él, que afirmara tal cosa, es no sólo el pasado intelectual más brillante de México, sino el presente más vivo y el futuro más eterno.

Capítulo II

— Divagaciones —

D IVAGAR en torno a una figura como la suya no es perder el tiempo. José Vasconcelos merece no sólo el estudio de su persona y de su creatividad literaria de todo tipo, sino también nos permite el lujo de desconcertarse sobre su significado real en la historia y en la literatura.

Serán, en todo caso, breves disgreaiones sobre un hombre que llevaba en sí mismo lo mejor de otros, y que luego supo transmitir todo eso a los demás, creando él mismo escuela, como la habían creado, muchos siglos antes, aquellos a quienes él siguiera fielmente desde su juventud, como un faro de luz que alumbrara su vida, su inspiración y, en definitiva, el total de su gran obra.

Divaguemos entonces, en la seguridad de que ello no será perder el tiempo, sino complacernos en evocar algunas de las más significativas fases del Hombre, del Pensador, del Literato.

Lo primero que sorprende en Vasconcelos es que, desde tan joven, eligiese a Pitágoras como su verdadero maestro y guía por los difíciles y siempre complicados laberintos de la filosofía. Que se fijara en él como filósofo nos hace comprender cómo creía él ver la influencia de las matemáticas en el orden universal.

Porque el gran pensador y matemático de Samos, discípulo a su vez, según se cree, de Tales de Mileto, centraba su particular modo de pensar en la importancia capital de los números, cuyo carácter para él era mágico, y los consideraba como la realidad de que están hechas todas las cosas, aunque también diera gran importancia a la escala musical. Todos esos principios los vemos, analizados y encauzados a su modo, en la obra filosófica de Vasconcelos. Sin embargo, curiosamente, no encontramos nada alusivo a Tales de Mileto en la obra filosófica de Vasconcelos, pese a haber sido aquel maestro de su admirado Pitágoras.

Porque Tales de Mileto, conocido como El Padre de la Filosofía, por tratarse del más antiguo de todos los filósofos griegos conocidos, tenía otras ideas sobre el universo, como la de que las estrellas «colgaban del firmamento» y que el mundo estaba lleno de espíritus o demonios, pero no en sentido panteísta.

En todo caso, entre las teorías filosóficas de Pitágoras y las de su presunto maestro, Tales de Mileto, sólo existe en apariencia la coincidente idea de que ambos eran, además de filósofos, matemáticos ilustres. Pero ahí termina todo posible parecido, incluso distante, entre los conceptos filosóficos de Vasconcelos y las ideas de Tales de Mileto.

Sin embargo, Pitágoras y Plotino sí se notan, y mucho, presentes en su obra, con una influencia realmente notable.

* * *

Así, divagando un poco, comprobamos que hay mucho de neoplatonismo en la obra filosófica de Vasconcelos precisamente por la presencia del pensamiento de Plotino en su trabajo. Y es con Plotino con quien más iba a coincidir, a lo largo de los años, ya que el Uno del pensamiento nacido en Licópolis (la actual Asiut egipcia) se asemeja extraordinariamente al Absoluto imaginado por el pensador mexicano.

Tal vez por ello se explique a veces que algunos estudiosos de la obra filosófica de Vasconcelos hayan creído intuir en sus pensamientos una cierta influencia hinduista muy poco explicable, a menos que se recuerde que el propio Plotino, aunque siguiera la tradición helenística, no pudo evitar que en su filosofía existieran asimismo influencias hindúes —como la identidad del Yo con el ser univeral—, lo cual justificaría ese fugaz influjo que han creído advertir algunos en las divagaciones filosóficas de Vasconcelos.

De todos modos, a éste se le han encontrado muchas, a veces excesivas, influencias que no son tales. Ya dijimos, por ejemplo, en su momento, que nadie más lejos de la filosofía destructiva de Nietzsche que José Vasconcelos, aunque sin embargo coincidiera con el pensador alemán en cuanto a sus ideas sobre el arte griego. Pero ahí termina todo paralelismo entre el pensamiento de Vasconcelos y el del hombre que inspirara muchas de las ideas del nazismo.

Sin embargo, sí acierta quien ve en él procedimientos kantianos, porque de Kant, no se sabe si intencionadamente o no, aprendió mucho Vasconcelos, y en muchos puntos de su filosofía se acerca al modo de pensar del filósofo de Königsberg, cosa que por otro lado él nunca negó, aunque luego sus pensamientos fueran por otros derroteros y lo que en Kant es una relación estrecha entre espacio y tiempo en Vasconcelos se transforma en una relación directa entre la ley del espíritu y el ritmo de cada cosa.

Del mismo modo, Vasconcelos nunca negó, más bien al contrario, sus enormes diferencias con el pensamiento de Comte, al que fue rebatiendo sus teorías una tras otra, ya que no se sentía en absoluto identificado con el filósofo francés.

Sea como sea, las ideas sobre la belleza como efecto de la armonía estética también iban a dejar su huella en otros grandes escritores a su vez, lo que demuestra que el pensamiento de Vasconcelos, aunque tuviera sus propias fuentes de origen, como tienen todos los pensamientos del hombre, tenía su propia identidad que le diferenciaba de los demás.

¿Por qué, si no, un escritor, un poeta de la talla del norteamericano T. S. Eliot, iba a coincidir con él en sus famosos *Cuartetos*, escritos diez años después de haber publicado José Vasconcelos sus ideas recogidas posteriormente por el literato nacionalizado británico?

Evidentemente, él bebió de las fuentes eternas del pensamiento humano, en busca de sus propios caminos para su devenir filosófico, pero a su vez otros beberían después de las suyas, prueba evidente de que el discípulo de Pitágoras o de Plotino se convertía a su vez en el maestro de hombres como Eliot, pongamos por caso.

Por ello, precisamente, se le considera, a nivel internacional y desde que expusiera su pensamiento filosófico, el creador de esa nueva filosófica estética, y como tal ha sido admitida su obra y su autor en todos los círculos intelectuales del mundo, sin discusión alguna.

El seguidor, el imitador e incluso el discípulo, es algo posible para cualquiera que tenga inquietudes en un terreno o en otro, y no sólo es éticamente correcto, sino incluso necesario para la propia evolución. Pero el convertirse en «creador» es algo muy distinto. Significa, por de pronto, que el seguidor, el alumno, no solamente ha asimilado las enseñanzas ajenas, sino que las ha sabido alterar a su propio gusto, con su personalidad, y les ha dado forma, una forma concreta y original, que le permite ser el único, el inventor de algo que no existía antes.

Ése es el creador, y ese fue José Vasconcelos. A fuerza de ser original en tantas cosas, supo serlo hasta crear su propia filosofía, cosa que no está al alcance de muchos. Y como tal ha pasado a la historia.

* * *

Divagando, divagando, vamos viendo muchas cosas de nuestro personaje que, aunque hayamos analizado antes en detalle, parecen aportar cada vez nuevos elementos enriquecedores a su admirable biografía y a su persona misma.

Ello no es sino una prueba más de que sobre su identidad y sobre su obra se puede escribir de muchas maneras, y el tema no se agota fácilmente. En la figura de nuestro hombre hay demasiados elementos, facetas, riqueza personal y humana, literaria y de todo tipo, como para seguir divagando durante mucho tiempo casi sin límites.

Y es que difícilmente un hombre notable ha reunido en una sola persona tantos matices y tan rica carga de humanidad y de inteligencia como él. Ni todos sus enemigos juntos —que fueron muchos—, ni todas las adversidades de su existencia —que abundaron demasiado—, han podido no ya destruir su imagen, sino ni siquiera dañarla lo más mínimo.

Por el contrario, sus enemigos y detractores, sin quererlo, han engrandecido, con su propia ruindad y estrechez de miras, la dimensión del personaje en todas sus facetas. Y las adversidades, como hemos ido analizando previamente, no hicieron sino fortalecer su espíritu, elevar su ánimo y hacerle más fuerte y más seguro de sí mismo, más capaz de ir lejos, más lejos posiblemente que ningún otro.

Solamente eso bastaría ya para marcar la grandeza de una persona, si no fuera porque a ello se añade además la magnitud de sus tareas, tan distintas y tan brillantes todas.

Porque, ¿quién ha podido ser a la vez revolucionario y creyente conservador, abogado de causas justas y político junto a presidentes no siempre idealistas ni incorruptibles, pensador y diplomático, profesor y renovador de la enseñanza, defensor del mestizaje en medio de una sociedad enemiga del mestizo, heraldo de la hispanidad ante una sociedad antiespañola, filósofo e historiador, ensayista y dramaturgo, articulista y conferenciante, embajador cultural de su país y de su raza, acogido en olor de multitudes en universidades y centros culturales de todo el mundo?

¿Quién ha podido ser todo eso, y a la vez estar exiliado durante años enteros de su propia patria, sin dejar de laborar por ésta y por todos los pueblos de América?

Y, por si todo ello fuera poco, convertirse en el auténtico creador de una nueva filosofía.

La verdad es que resulta difícil, por no decir imposible, bucear en la historia del mundo y encontrarse con alguien como José Vasconcelos, que lo hizo todo, y todo bien. Otros grandes hombres han destacado por su brillante papel en esta o aquella actividad. Vasconcelos destacó en muchas actividades, en muchísimas más de las que uno puede esperar de un hombre solo, enfrentado al mundo, y la mayor parte de las veces sin apoyo alguno.

Pero así era él, y así era su raza. Si quiso demostrar de alguna forma que sus teorías sobre la raza hispanoamericana, o indoamericana, eran ciertas, no pudo elegir mejor ejemplo, tal vez sin saberlo, que el de sí mismo.

Hoy en día, en todo el mundo, al menos es ése el gran ejemplo que se reconoce como la confirmación de que todo cuanto dijo en torno a su deseo de revisión de la historia nacional y el apoyo incondicional al mestizaje indio-español, tenía mucho de verdadero.

Si ésa era la raza del futuro, como él decía, no hay duda de que José Vasconcelos representa el futuro, aunque su pasado y su presente valgan ya por sí solos para definirle como uno de los intelectuales más grandes de la historia.

Capítulo III

— El final —

TODO tiene su final. Es inexorable. Todo acaba. Aunque quede la obra, como prueba de inmortalidad, el hombre muere, desaparece.

Es su final. Y José Vasconcelos, el genio mexicano, fue, a fin de cuentas, un hombre como todos. Nació en Oaxaca aquel lejano día 27 de febrero de 1882, casi en las postrimerías del siglo XIX. Y fue a morir en la ciudad de México, el 30 de junio de 1959.

Allí terminó el hombre, aunque nos legara su obra escrita y su pensamiento, que ya son eternos. Fue una fecha triste para todos, dolorosa para México, que perdía a uno de sus hijos preclaros.

Paradójicamente, el hombre que durante tantos años tuvo que abandonar su país, casi siempre por razones políticas o ideológicas, pudo cuando menos tener sus días finales en el país que amaba y que defendió siempre, por el que luchó, en defensa de los más humildes, seguro de que la grandeza de su patria estaba en la culturización de sus gentes, de sus ámbitos rurales, de su proletariado. Convencido de que el México moderno, el que él deseaba y por el que tanto luchó, no se encontraría nunca mientras reinara el analfabetismo y la cultura no estuviera al alcance de todos.

José Vasconcelos se mostró siempre firme, incluso en sus últimos días en este mundo, aunque ya no fuera el combativo, ardoroso rebelde de siempre, ni pudiera ya darle a su pluma la actividad que tanto deseaba y por tantos años le había dado.

Los años no pasan en balde, y él ya tenía muchos más de setenta cuando empezó a sentir que sus fuerzas le iban abandonando y que el fin estaba próximo.

Para entonces, su habitual conservadurismo se había hecho aún más intenso, y durante aquellos últimos años se había convertido en el portavoz del conservadurismo católico por excelencia, prueba de que incluso entonces no renunciaba fácilmente a sus convicciones, y era capaz de defenderlas con el mismo ardor y convencimiento que en su juventud.

En México ya no tenía enemigos, porque México empezaba a ser el país moderno que él tanto había soñado, y aunque a veces políticamente no estuviera muy de acuerdo con algunos gobernantes y gabinetes, lo cierto es que su combatividad había dado paso a una madurez resignada y algo escéptica, sobre todo en cuestiones de política, que le hacían ser mucho menos agresivo que en sus buenos tiempos.

Además, para entonces el nombre de José Vasconcelos era merecidamente admirado y respetado en todo el país, y la magnitud de su obra reconocida por todo el mundo, con el respaldo de su fama y prestigio internacionales, que tan alto hablaban de su valía.

Por todo ello, las cosas ya eran muy distintas para él cuando entró en sus setenta y siete años, cumplidos en febrero de aquel año de 1959 que iba a ser el último de su vida. Para entonces, era un hombre que vivía una tranquila vejez, reconocido y querido por todos, nombrado doctor *honoris causa* por la Universidad de México, y lleno de toda clase de galardones internacionales.

Ésa era la razón por la que el país entero iba a sentir como algo propio la muerte del hombre a quien generaciones anteriores no supieron entender, y que ahora era para todos ellos motivo de orgullo.

México entero lloró el momento final de José Vasconcelos, en aquel triste y doloroso día final del mes de junio que coincidió con su muerte.

Se les iba el hombre, el ser humano. Pero también, con él, se iba mucho de ellos mismos, de su tierra amada, de su gente querida, de sus paisanos y amigos, de la raza misma a la que tanto defendiera durante todos los años de su vida.

Era el final, sí. Pero el final de muchas cosas, aparte del final inevitable de un ser humano, perecedero como todos, por mucha que sea su gloria terrenal. Como dijera Shakespeare por boca de su personaje Hamlet, el Príncipe de Dinamarca, el mismo aspecto posee, una vez muerto, «el pobre y divertido Yorik» que «el gran Alejandro Magno».

Todos somos seres humanos. Pero con José Vasconcelos, aparte del ser humano, se iba algo de todos y cada uno de los mexicanos que se sentían identificados, defendidos y personificados en aquel hombre excepcional que ahora les abandonaba para siempre.

Sin embargo, atrás quedaba algo que nadie, ni siquiera la muerte puede llevarse consigo: la obra, el pensamiento, las ideas de un hombre destinado a sobrevivir a su propio final físico, porque nada ni nadie puede matar el pensamiento. Queda en el espacio, entre nosotros. Y más aún si permanece en hojas escritas, sobre papel, en perenne recuerdo de su paso por la vida, donde dejara tan honda huella que incluso hoy en día se estudia su filosofía como se analiza su rigor histórico, sus teorías sociológicas y su profundo conocimiento de su país y de sus verdaderas raíces.

Por todo ello, José Vasconcelos ha pasado, por derecho propio, a la galería de personajes ilustres, no ya de su propio país, donde es lógico que se le venere, sino del mundo entero que ha analizado, discutido y estudiado su obra.

Como más adelante, el final de esta obra, nos será dado comprobar analizando no ya solamente la bibliografía ajena sobre su persona y su trabajo, sino la relación de sus más importantes obras editadas, no hemos podido ni siquiera hacer una mención completa y exhaustiva de su obra global, de la totalidad de su creación literaria de todo tipo, porque siempre queda algo en el tintero, muchas veces devorado, no por el olvido, que en este caso no es nada probable, tratándose de quien se trata, sino por la fuerza misma de otras obras, que fueron capaces de absorber otros trabajos interesantes, que no llegaron a alcanzar igual nivel de popularidad o de prestigio por diferentes razones.

Así, tal vez al lector le sorprenda hallar en esas listas títulos de los que apenas si hemos hablado —o tal vez ni mencionado siquiera—, como sucede con su biografía y estudio personal sobre la figura cumbre de Simón Bolívar, pongamos por caso. *Simón Bolívar* es una de las raras obras biográficas escritas por José Vasconcelos, quien ya había insistido antes sobre el mismo tema, aunque comparándolo en ese otro caso con los puntos de vista de los políticos norteamericanos de una determinada visión ideológica, como fue el caso del presidente Monroe, en su obra *Bolivarismo y Monroísmo,* que Vasconcelos escribiera en 1934 durante su estancia en Chile.

En cambio, la biografía de Bolívar la editó en México por primera vez, en 1939, coincidente con las vísperas de su regreso definitivo a su país natal, ya que, aunque escrita en parte durante su exilio, la publicó apenas llegado a México tras las elecciones presidenciales a las que se presentó, en 1929, y que le provocaron este último y largo exilio.

También editó en Madrid, 1935, otra de sus obras menos comentadas, y posiblemente de las menos conocidas también, *De Robinsón a Odiseo,* que luego vería la luz en México en 1952, cuando ya era en su patria toda una gloria nacional.

Como se ve, era como una insistencia personal en su concepto de «odisea», ya que parece como si Vasconcelos aludiera a su propia condición de auténtico Robinsón en la isla desierta de su destierro, hasta el «Odiseo» de su deambular constante por el mundo, siempre forzado a vivir lejos de su patria.

En suma, son muchas las obras de Vasconcelos que, por una u otra razón, se ha citado menos a lo largo de esta obra, pero que forman parte de su enorme carga cultural, de la obra completa de este genial autor, al que un historiador extranjero, británico por más señas, como fue Haddox, no duda en calificar en su obra sobre él, no sólo como pensador o filósofo, sino incluso como «profeta».

«Profeta» parece una palabra muy fuerte para designar a un hombre de nuestro tiempo, pero ¿es exagerada en el caso de José Vasconcelos? Según Haddox, no. El investigador y escritor inglés considera que hay mucho de profético en la obra de Vasconcelos, y tal vez no le falte razón.

A fin de cuentas, ¿no resultaron proféticas sus palabras alusivas a la raza hispanoamericana, hoy en día extendida por todo el mundo, dominante ya incluso en gran parte de los Estados Unidos y de Europa, y con un futuro, como dijera él, que le pertenece por derecho propio, porque es la raza del porvenir?

¿No fue profética su labor como educador, anticipándose en mucho a su tiempo y a los métodos entonces imperantes, abriendo su mente a nuevos conceptos de pedagogía y de enseñanza, y mostrando cauces de culturización nunca sospechados por otros educadores y menos aún por los gobernantes?

Latinoamérica, una raza, un continente del futuro. Fue la conclusión sociológica de Vasconcelos. Y lleva camino de ser toda una realidad, si no lo es ya. Por tanto, sí hubo mucho de profeta en él y en sus enunciados, como afirma Haddox en su estudio de José Vasconcelos, sin duda alguna.

Por todo ello, es más comprensible aún que la fecha de su muerte sea solamente un dato frío y estadístico en su historia. El momento en que perdimos al hombre, pero no al genio, no al pensador, no al filósofo, no al «profeta».

Se nos fue para siempre José Vasconcelos aquel junio de 1939, eso es bien cierto. Y dolorosamente cierto, además. Pero insistimos en los básico e indiscutible: ni siquiera esa irreparable pérdida que nos dejó sin el más ilustre de los intelectuales de toda una época, de todo un pueblo y de toda una raza, pudo conseguir que se borrara su obra de nuestras mentes y de nuestro recuerdo.

Ésa es la grandeza del hombre que se ve superado por su propia obra. Le engrandece como persona en vida, es cierto, pero le mantiene vivo incluso después de morir. Son tantos y tantos sus escritos, tantos sus trabajos, que por una u otra razón será siempre recordado y reconocido en toda su inmensa valía.

Así que no lloremos su pérdida, aunque ésta sea irreparable, como sucede siempre cuando alguien se nos va para siempre. Él supo dejar tras de sí la estela triunfal de su filosofía propia, personalísima, creación suya.

Pero supo también dejarnos otras muchas herencias dignas de ser recordadas incluso en el futuro. Seguirá habiendo reediciones de sus trabajos, volveremos una y otra vez a hablar de él, como de alguien que aún existe, que está todavía entre nosotros. Ésa es, sin duda, la verdadera inmortalidad del hombre.

Y a ella, como tantos y tantos hombres ilustres del pasado, tiene su derecho bien ganado José Vasconcelos, el gran defensor de la identidad iberoamericana en el marco de la cultura universal.

En sus últimas obras filosóficas mantuvo la firmeza de su pensamiento y de sus convicciones, insistiendo siempre en la continua evolución cósmica de la energía hacia su transmutación en belleza, principio y fin de su pensamiento.

Por tanto, su propia obra en ese sentido fue una evolución constante, pero siempre inspirada en la misma idea que lanzara ya en su juventud. Aquel «monismo estético» de su creación iba a marcar toda una vida y toda una obra, sin duda alguna.

Ha habido escritor que ha afirmado de él que encarnó el ideal totalizado, armonioso y preciso, a través de una forma de filosofía tonificante, que fue exaltación de los pueblos iberoamericanos.

Para muchos, incluso hoy en día, José Vasconcelos sigue gozando de aquel hermoso título que le dieran en su día y que tanto mereció por sus cualidades pedagógicas, como es el de Maestro de la Juventud de América.

Un título tan honroso como ganado a pulso, no ya como simple educador que fuera en su momento, sino por las enseñanzas que ha sabido dejar para esa misma juventud americana a la que tanto amó, y en la que tan ciegamente confió durante toda su vida. Es esa juventud, por cierto, tal vez la misma que ahora, al cabo de los años, descubra al José Vasconcelos que no llegó a conocer, pero que, gracias a su obra ingente, puede enseñar tanto a las generaciones actuales como a las venideras.

Es por ello que hemos llegado realmente al final de su camino, ese final que tuvo lugar en 1959 en la ciudad de México, donde el oaxaqueño ilustre nos dejó para siempre, porque la muerte es el final del hombre en todos los casos.

Pero nunca llegaremos al final de José Vasconcelos como creador y como autor, porque su obra sigue ahí, esperando a ser conocida por los que aún no la conocen, siempre esperando a ser devorada otra vez con deleite por todos los que fueron de siempre sus lectores incondicionales.

Descanse en paz el gran pensador.

Y pensemos que la mejor frase de despedida que le podemos dedicar, en el momento de referirnos a su muerte, es la que sale del alma de cuantos le admiramos como persona y como literato y pensador:

«Adiós, Maestro.»

Conclusión

NO sabemos si hemos logrado del todo nuestro objetivo, el que nos propusimos desde el principio y al que aludimos ya en los inicios de la obra, cuando hicimos una introducción al estudio biográfico y bibliográfico de nuestro personaje.

Lo hemos pretendido con la mejor voluntad, pero no siempre los resultados acompañan a las intenciones, por buenas que éstas sean, y no nos gustaría pensar que no hemos sabido reflejar aquí adecuadamente la vida y la obra de aquel en quien pensamos para seguir los caminos de su existencia, desde aquel lejano día del 27 de febrero en Oaxaca hasta el triste 30 de junio de 1929 en la ciudad de México.

Fueron caminos arduos y harto difíciles los que tuvo que seguir nuestro personaje, como ya hemos tenido ocasión de ver, auténtica odisea para un hombre tan amante de su gente y de su pueblo, y tantas veces obligado por las circunstancias a vivir lejos del que era su auténtico mundo.

La política, al cruzarse una y otra vez en la ruta del literato, del educador, del pensador o del filósofo, fue responsable las más de las veces de todo eso. Hemos insistido en ello, porque de no ser por razones políticas —y a veces religiosas, es cierto—, José Vasconcelos no hubiera tenido necesidad de ir a Scila en Caribdis, como dice la propia *Odisea,* para encontrar su Ítaca final y definitiva.

Otro hombre, tal vez, hubiera cedido a presiones, hubiera dejado que sus convicciones no fueran un obstáculo para su tarea, y hubiera continuado al margen de enfrentamientos con quienes tanto
podían perjudicarle.

Pero Vasconcelos no era así, nunca lo fue, bien hemos visto, y
no dudó en exponer sus quejas o sus diferencias incluso a políticos
que habían sido sus protectores o amigos en principio, cuando las
cosas no le gustaban y no estaba de acuerdo con la política llevada
a cabo por aquellos hombres.

¿Que ello le proporcionó no pocos quebraderos de cabeza? Eso
resulta obvio siguiendo su vida paso a paso, y ya lo hemos comprobado una y otra vez. Pero también hemos comprobado cómo el
hombre inquebrantable y de enorme fe que era Vasconcelos, era capaz de sobreponerse a todo y seguir adelante, aun en las más adversas condiciones.

Resulta particularmente agradable para un autor, para un biógrafo, encontrarse con un personaje así, de tal integridad, tan consecuente siempre consigo mismo, sin dobleces ni subterfugios, sin
fingimientos ni hipocresías. Porque uno llega a admirar tanto al personaje, que se siente identificado con él y le comprende y estima
como a alguien que ha conocido.

Cierto que todo ello redunda en una forma algo partidista, quizá, de ver al biografiado. La simpatía del autor hacia el personaje es
inevitable en casos así, porque su integridad y su honestidad le ga-
nan a uno irremisiblemente. Pero creo que en el caso concreto de
Vasconcelos, esa simpatía por el biografiado no deja de estar plenamente justificada.

No siempre se hallan personas de esa talla humana, no es frecuente que un gran hombre lo sea en todos los conceptos de su vida,
como es este caso. Es de imaginar que sus enemigos —porque los
tuvo, aunque parezca mentira— tuvieron que serlo por razones muy
oscuras y poco convincentes. Por resentimiento, por envidia o por
rencor, tal vez.

Pero él nunca reconoció en su vida peor enemigo que la ignorancia, la incultura y el analfabetismo que, como una epidemia no-
civa, se extendía por campos, pueblos y ciudades de su país, epide-

mia contra la que luchó con la mejor de las medicinas, administrada por él mismo: la cultura.

Antibiótico de poderosos efectos para sanar cualquier infección provocada por la ignorancia, la cultura fue su arma predilecta, su fármaco milagroso para sanar a todo un pueblo y para dar una lección a todos los «médicos» que podían combatir la «enfermedad» a lo largo y a lo ancho del país.

Admirable ejemplo de esfuerzo, de capacidad de lucha, de grandeza de ánimo y de espíritu, que merece el entusiasmo y la aprobación por parte de todos, y este hecho le resulta imposible al autor de no tenerlo en cuenta a la hora de valorar a su personaje y de realzar sus cualidades.

A fin de cuenta, pensamos, estamos haciendo justicia. Y hacer justicia a José Vasconcelos no fue nunca una tarea que la gente de su tiempo pusiera demasiado empeño en desarrollar, al menos hasta sus últimos años, en su llegada final a su Ítaca soñada, tras tantas peripecias del inefable y maravilloso «Ulises Criollo» que llevó siempre dentro de sí.

* * *

Por todo ello, insistimos, en esa especie de epílogo que ponemos a nuestro trabajo en torno a José Vasconcelos, su vida y su obra, sólo queremos pedir perdón a nuestros lectores si en ocasiones nos hemos dejado llevar por el entusiasmo natural y espontáneo que sus actos y su modo de ser despiertan en uno de manera inevitable, y preguntarnos si habremos sido equitativos e imparciales en nuestra obra en torno a él.

Pero dentro de todo, cabe en lo posible que el propio lector caiga sin querer en nuestra propia trampa, y se dé cuenta exacta de lo que fue y significó José Vasconcelos en su época, y de lo que ha dejado tras de sí a lo largo de una vida tan fructífera como renovadora e imaginativa en tantos terrenos diversos del saber humano y de su forma de hacerlo llegar a los demás.

Nuestra intención ha sido precisamente ésa: seguir sus pasos, en la medida de lo posible, a través de toda una existencia dividida en cierto modo en etapas muy definidas y concretas que se podrían clasificar en una serie de períodos claramente diferenciados entre sí, y en ocasiones casi sin denominador común que los enlace o amalgame entre uno y otro.

Partiendo desde aquellos primeros días de su vida en su localidad natal de Oaxaca, tenemos, por orden cronológico, los hechos más decisivos de su vida.

Estudios primarios en Eagle Pass, Estados Unidos.

Estudios posteriores, igualmente primarios, ya en su país, México, en el Instituto Científico de Toluca y en el de Campeche.

Ingreso en la Escuela Nacional Preparatoria antes de pasar a la Escuela Nacional de Jurisprudencia, para sus estudios de Derecho, que le concederían su título de abogado.

Adhesión al Partido Antirreeleccionalista, contra Porfirio Díaz y su dictadura, e inmediatamente al Partido Maderista, en vísperas de la Revolución.

Nombramiento como secretario de Instrucción Pública y Bellas Artes, al tiempo que colaboraba activamente con las actividades revolucionarias contra el porfirismo.

Director de la Escuela Nacional Preparatoria durante el gobierno de Madero, y primer exilio tras el final del gobierno de Francisco Indalecio Madero.

Regreso a México, para pasar a formar parte del equipo del general Álvaro Obregón, para ser nombrado rector de la Universidad Nacional primero y posteriormente secretario de Educación Pública.

Permanencia de poco más de dos años en ese cargo, con resultados espectaculares y revolucionarios en el campo de la enseñanza urbana y rural, de la educación cultural y artística del país, de la protección de las artes, de la difusión de bibliotecas públicas y centros de cultura, alfabetización de las clases humildes, campesinas, rurales y proletarias, propagación de la música clásica y protección y auge de la pintura, con el lanzamiento definitivo del muralismo mexicano y el auge internacional de sus máximos exponentes creativos, como Rivera, Siqueiros u Orozco.

Primeras diferencias personales y críticas con Obregón, que provocan otro de sus exilios de México, tras la renuncia al cargo de Educación y el no reconocimiento de su victoria en las elecciones gubernativas de Oaxaca.

Ya previamente hemos mencionado su período de colaboración estrecha con Venustiano Carranza, durante el gobierno de éste, tras la derrota definitiva de la Revolución, y una etapa de trabajos diplomáticos y de información confidencial en otros países, al servicio del gobierno de su país.

Choques personales con Carranza provocarían ya antes otro exilio de Vasconcelos, obligado a huir, ante la orden de arresto del presidente, y una posterior residencia en los Estados Unidos.

También por entonces hay que contar otro retorno a México, para ser secretario de Instrucción Pública durante el mandato, breve y poco afortunado, del presidente Eulalio Gutiérrez.

Volviendo a su exilio tras el enfrentamiento con el general Obregón, tras su fructífera y espectacular campaña de educación pública en todo México, éste terminaba otra etapa de su agitada existencia con un nuevo retorno a México, en 1929; en esta ocasión, como ya sabemos, para presentarse a unas elecciones presidenciales.

La nueva etapa es tan breve como poco alentadora para la posible carrera política de Vasconcelos que —tal vez por suerte para su trayectoria literaria, sociológica e histórica, por no decir la filosófica— pierde las elecciones y ve cómo el ganador de éstas, su ex presidente Álvaro Obregón, sale ganador de las mismas para terminar trágicamente su vida en un atentado a manos de un «cristero» o fanático religioso.

Ante estos hechos y la hegemonía de Elías Calles y sus adláteres, todos ellos profundamente anticlericales, el creyente católico firme que hay en José Vasconcelos se ve forzado a volver a su exilio fuera de su país, prolongado ya en esta etapa de su vida hasta 1940, en el que sería su último destierro.

Con el regreso definitivo de Vasconcelos a México en 1940, se terminan esas «etapas odiseicas», y el «Ulises Criollo» que fue nuestro personaje —por definición propia— volvió al fin a su Ítaca soñada, su propia patria, para cubrir la que sería última etapa de su vida: desde 1940 a 1959, año de su muerte.

* * *

Como se ve, narradas así, las etapas de la vida de José Vasconcelos, aunque complicadas, parecen formar una vida más o menos agitada, sometida a los puros y simples vaivenes de la política.

Nada más lejos de la realidad, porque lo cierto es que la política, a fin de cuentas, y pese a las insistencias de nuestro personaje en formar parte de ella, no iba a ser ni de lejos la parte fuerte de su obra ni de su vida.

Por el contrario, puede asegurarse, y de hecho lo hemos podido ver a través de este recorrido por su existencia, que los factores políticos fueron más bien secundarios en su carrera, que siguió, por fortuna, más altos vuelos. En vez de ser esclavo de politiquerías y de maniobras en torno a todo eso, Vasconcelos tuvo la gran fortuna de ser algo más, mucho más que un simple político. Fue un intelectual, cosa que rara vez es un político, y en su desarrollo como pensador, creador literario y filosófico, iba a encontrar su verdadero camino, tan diferente al que los vericuetos políticos iba a poderle ofrecer en cualquier circunstancia.

Su pensamiento voló más alto, infinitamente más alto que su aliento político y que sus apetencias en ese terreno. Zarandeado por los avatares de un tiempo más bien borrascoso en ese sentido, al menos en su patria, él pareció vivir como una especie de doble vida, donde el educador, el hombre de ambiciones políticas o el funcionario del Estado era sólo una parte ínfima de su persona, para que el resto pudiera desenvolverse en lo que, a la postre, iba a ser su gran obra universal: la gran labor de escritor, historiador, crítico, ensayista y filósofo que llevaba dentro.

Tal vez por ello, paradójicamente, de sus grandes fracasos políticos, de sus frustraciones y amarguras en ese terreno, surgieron poco a poco sus grandes obras creativas y se fue perfilando la que iba a llegar a ser su propia filosofía original. Porque de huidas, destierros, exilios y ausencias iba a hacer terreno abonado para su expansión internacional y su llegada a todos los ámbitos internacionales, muy lejos de su país, de su gente y de su mundo.

Eso nos demuestra que fue una suerte, sin duda, que la política le jugara males pasadas a José Vasconcelos y que su temperamento y su modo de ser le hicieran enfrentarse sin remedio a tantos y tantos amigos o enemigos, para seguir su propia senda en esta vida, la que realmente iba a marcar su destino.

Eso es lo que hemos pretendido reflejar en esta obra en toda su magnitud e importancia, porque estamos seguros de que el Vasconcelos político o educador hubiera sido algo grande, indiscutible y fuera de toda duda, pero nunca hubiera podido compararse con el hombre que nos legó todo un caudal inmenso de sabiduría y de conocimientos profundos, hechos realidad en su obra sociológica, histórica y filosófica.

El creador indiscutible de la filosofía estética, hubiera podido ser sin duda un magnífico político, pero eso rara vez deja huella, salvo a un nivel muy pobre del acervo cultural de las naciones, y en cambio el pensamiento filosófico y las ideas del pensador siempre dejan huella profunda de su paso por el mundo, desde tiempo inmemorial.

* * *

Es probable también que los avatares políticos le hubieran distraído —aunque ello no parece fácil, porque Vasconcelos no era hombre que se «distraía» de sus objetivos— de su encarnizada y audaz defensa de los valores de la identidad iberoamericana y de la capacidad de futuro de la raza que en muchos círculos pretendidamente intelectuales, incluso de la propia América Latina y de su país, era considerada poco menos que inferior y con raíces muy discutibles y altamente negativas.

La defensa del indiohispano fue bandera de Vasconcelos desde siempre, y nada parecía capaz de apartarle de esa convicción suya, tan significativa en aquel momento, y tan demostrada posteriormente con los hechos. Pero nunca se sabe si otras actividades, otras preocupaciones, sobre todo de carácter político, hubieran podido adaptarle, siquiera fuera momentáneamente, de su lucha denodada en defensa de sus creencias.

Es otro de los grandes hitos de este hombre excepcional que hemos tratado de reflejar aquí con todas sus grandes virtudes y sus escasos defectos. Hay muchos que nunca le han perdonado, por ejemplo, su excesivo conservadurismo religioso, poco comprensible, a juicio de ellos, en persona tan especial como él.

Pero hay que tener en cuenta que Vasconcelos fue siempre persona de convicciones firmes, como ha quedado bien demostrado, y no tiene nada de censurable, creemos, que tuviera su propia opinión formada en tema tan personal y delicado como el religioso. No negó nunca su acendrado espíritu católico e incluso su conservadurismo, acentuado en los últimos años de su vida, y ello no tiene nada de criticable, si uno tiene en cuenta que, llegado el momento, no dudó en implicarse activamente en la lucha por defender sus ideas en ese sentido, incluso en momentos poco adecuados.

Y, por cierto, momentos además poco beneficiosos para él y para su posición oficial.

Porque precisamente fueron esas diferencias en cuanto a política religiosa las que, en muchos casos, provocaron su pérdida de influencia y de amistad con los gobernantes. Se encaró abiertamente al anticlericalismo de Obregón, y no hablemos ya del de Elías Calles, sin importarle poco ni mucho las consecuencias de sus actos.

Por tanto, hasta en tema tan complejo como las ideas puramente religiosas, Vasconcelos fue en todo momento consecuente consigo mismo, al precio que fuera. Y eso, la verdad, en momentos poco adecuados para defender esa postura, tiene su mérito.

De modo que si uno no se deja llevar por extremismos de ningún género, debe convenir en que Vasconcelos no dejó nunca de ser fiel a sus principios y a sus ideas, sin dejarse influenciar por nadie, y sin importarle que pudiera perderlo todo, sin ganar nada a cambio, llegado el momento de pronunciarse.

Se puede alegar que, en determinados momentos de la historia de México —como la de tantos otros países, por cierto—, la influencia y el poder de la Iglesia, cargado todo ello de intereses muy fuertes, pudiera incitar a los gobiernos liberales a enfrentarse a las autoridades eclesiásticas, despojándolas de autoridad y de control sobre muchas cosas, pero Vasconcelos lo que se negaba a aceptar es que esos privilegios de la Iglesia, como institución, fueran combatidos por la fuerza, y pisoteando los derechos de los creyentes a tener su propia fe y manifestarla libremente.

De modo que incluso con esas premisas se le tiene que reconocer su rectitud de criterio y su valor para tomar decisiones que distaran mucho de satisfacer a los círculos oficiales y de poder de su país.

Él lo pagó siempre al precio que sabía que iba a costarle su integridad personal. No temió nunca al exilio ni a la persecución e incluso la negación de su valor personal e intelectual, si a cambio de ello mantenía su criterio por encima de todo.

Nuestro magnífico «Ulises Criollo», el eterno exiliado, capaz de dar al mundo durante esos exilios las obras maestras de su creatividad intelectual, supo siempre lo que hacía y por qué lo hacía. Ése fue, sin duda, su mayor mérito.

Y el que le han reconocido generaciones venideras, admiradas de aquella fortaleza de espíritu fuera de toda duda.

Por eso ahora, aquí, como antes dijimos ya al terminar el recorrido por su biografía, tal vez lo mejor sea repetir la misma frase de despedida al gran intelectual de Hispanoamérica:

«Adiós, maestro. Y gracias. Muchas gracias por todo.»

BIBLIOGRAFÍA DE EDICIONES DE OBRAS DE JOSÉ VASCONCELOS, EDITADAS EN MÉXICO O EN OTROS PAÍSES

OBRAS FILOSÓFICAS

Pitágoras, una teoría del Ritmo (1916). Segunda edición, en 1921.
Monismo estético (1918).
Estudios indostánicos (1930). Editada en Madrid. 2.ª edición, México 1928.
Tratado de Metafísica (1929).
Ética (1932). 2.ª edición, en 1939.
Historia del Pensamiento Filosófico (1937).
Lógica Orgánica (1945).
Todología (1952).
(Existe una segunda edición, con el título *Filosofía estética,* hecha en Buenos Aires en 1952.)

OBRAS SOCIOLÓGICAS, HISTÓRICAS O PEDAGÓGICAS

La Raza Cósmica (Barcelona, 1925). 2.ª edición, B. Aires, 1948.
Indología (Barcelona, 1927).
Bolivarismo y Monroísmo (Santiago de Chile, 1934).
De Robinsón y Odiseo (Madrid, 1935). 2.ª edición, México, 1952.
Breve historia de México (1936). 2.ª edición en 1950.
Simón Bolívar, 1939.

OBRAS AUTOBIOGRÁFICAS

Ulises Criollo (1936). 9.ª edición en 1946.
La tormenta (1937). 7.ª edición, 1949.
El desastre (1938). 5.ª edición, 1951.
El proconsulado (1939). 2.ª edición, 1946.

A esto hay que añadir incontables narraciones, ensayos, discursos o conferencias, así como artículos en periódicos, revistas y diversas publicaciones de ambos continentes, América y Europa.

Existe una edición especial de sus *Obras completas,* editada en México en 1959 por Libreros Mexicanos Unidos, así como una segunda edición de esta misma obra, también en México, por parte de la editorial *Limusa Wiley.*

(Cuando no se especifica el lugar de su edición, es porque la misma tuvo lugar en México.)

BIBLIOGRAFÍA DE OTROS AUTORES, EN TORNO A LA FIGURA Y OBRA DE JOSÉ VASCONCELOS

Resulta interminable la mención de obras escritas por autocares de todos los lugares del mundo, relacionadas con José Vasconcelos, con su obra y con su persona.

Vamos a intentar solamente mencionar aquí a unos cuantos de los que han publicado estudios de interés sobre la figura del gran intelectual mexicano.

H. AHUMADA: *José Vasconcelos, una vida que iguala la acción con el pensamiento* (México, 1937).
SÁNCHEZ VILLASEÑOR: *El sistema filosófico de Vasconcelos. Ensayo de crítica filosófica* (México, 1937).
O. ROBLES: *José Vasconcelos, filósofo de la emoción creadora* (México, 1947).
L. MARTÍNEZ: *La obra literaria de José Vasconcelos.*

P. ROMANELL: *El monismo estético de José Vasconcelos* (1950).

I. GAOS: *Filosofía mexicana de nuestros días* (México, 1954).

FERNÁNDEZ DEL VALLE: *La filosofía de José Vasconcelos* (Madrid, 1958 y México 1973).

L. GARRIDO: *José Vasconcelos* (México, 1963).

GUISA Y AZEVEDO: *Me lo dijo Vasconcelos* (México, 1965).

LEWAW-MULSTOCK: *José Vasconcelos, vida y obra* (México 1966).

H. HADDOX: *Vasconcelos of México. Philosopher and prophet* (Londres, 1965).

NICOTRA DI LEOPOLDO: *Pensamientos inéditos de José Vasconcelos* (México 1970).

F. I. CARRERAS: *José Vasconcelos, filósofo de la coordinación* (Madrid, 1970).

Esta recopilación fue hecha por A. Basave Fernández del Valle, autor de uno de los estudios sobre la figura y obra de Vasconcelos, en 1958 en Madrid, y posteriormente reeditada en México en 1973, pero existen otros muchos que se han ocupado de la figura de Vasconcelos y que, por razones de espacio, no pueden figurar en estas páginas.

ÍNDICE

Cuarta parte
La Filosofía

Quinta parte
La Perspectiva

Sexta parte
El Resumen

TÍTULOS PUBLICADOS EN ESTA COLECCIÓN

SALMA HAYEK
Vicente Fernández

SOR JUANA INÉS DE LA CRUZ
Juan M. Galaviz

JOSÉ VASCONCELOS
Juan Gallardo Muñoz

VICENTE GUERRERO
Jorge Armendariz

GUADALUPE VICTORIA
Francisco Caudet

JORGE NEGRETE
Luis Carlos Buraya

NEZAHUALCOYOTL
Tania Mena

IGNACIO ZARAGOZA
Alfonso Hurtado